CW00701470

Triste jeunesse

Collection *l'Aube poche*
dirigée par Marion Hennebert

www.editionsdelaube.com

ISBN 978-2-8159-0863-4

Mohamed Nedali

Triste jeunesse

roman

éditions de l'aube

Du même auteur :

Morceaux de choix, l'Aube, 2006 ; l'Aube poche, 2007

Grâce à Jean de La Fontaine, Le Fennec, Casablanca, 2004

Le bonheur des moineaux, l'Aube, 2009 ; l'Aube poche, 2010

La maison de Cicine, l'Aube, 2011

À mon amie,
Lisa Cligman Mizrachi.

Marrakech. Le centre pénitencier de Boulemharez. Dix heures et demie du matin. Je feuilletais distraitement un magasine arabophone lorsqu'un bruit de pas martelant la mosaïque du couloir attira mon attention. Je tendis l'oreille : il y avait au moins trois personnes. Les pas s'approchèrent, s'approchèrent, ralentirent puis finirent par trépasser devant la porte de ma cellule. Le trousseau de clés du gardien tinta gaiement. Je devinai Allouch, le garde du couloir, cherchant la bonne clé. Il était rare qu'il la trouvât du premier coup, m'avait-il dit un jour, car toutes se ressemblaient. À la troisième tentative, la clé tourna enfin dans la serrure, à deux reprises ; la lourde porte de ma cellule gémit sur ses gonds rouillés puis s'écarta dans une longue plainte aiguë. Un homme en costume bleu foncé et cravate lie de vin se détacha dans la béance éclairée, flanqué de trois gardes, dont Allouch. Je rangeai à la hâte le magasine dans un coin de mon lit et me redressai en remettant un peu d'ordre dans ma tenue débraillée. L'homme avança d'un pas à l'intérieur de ma cellule ; une odeur de haut fonctionnaire s'épandit dans l'air : un effluve du parfum *Masculin* mêlé à une odeur de bon tabac jaune. Tous les hauts commis de l'État sentent cette odeur qui, chez le citoyen ordinaire, déclenche instantanément un sentiment de crainte et de méfiance. Le visiteur s'éclaircit la gorge. Je levai les yeux sur lui, sans insistance. Salam ouâléïkoum ! Aléïkoum salam ! Comment ça allait ? De la main, j'imitai le vol d'un papillon. Il hocha la tête avec un petit air compatissant. Justement, la direction avait une bonne nouvelle à m'annoncer : comme, depuis mon arrivée à la maison, mon dossier ne signalait aucune indiscipline, aucun écart de conduite, l'administration avait jugé bon d'interrompre ma réclusion solitaire plus tôt que prévu, preuve qu'à Boulemharez, les pensionnaires qui se comportaient bien étaient récompensés, par un juste retour des choses ! Je bredouillai un remerciement, voulus aussitôt ajouter quelque chose sans vraiment savoir quoi, mais n'ayant rien trouvé, je dus finalement me taire, désolé et confus.

« À bientôt, alors ! » fit l'important en se retirant.

Les deux gardes lui emboîtèrent le pas. Allouch s'apprêtait à refermer la porte. D'un geste, je lui demandai qui était le visiteur. Il tendit son cou pelé à travers l'entrebâillement :

« Le numéro 2 de la boîte ! » me souffla-t-il.

Et il referma la porte à triple tour, comme d'habitude ; et, comme d'habitude, j'écoutai un moment son pas martelant lourdement la mosaïque ternie du couloir. À mesure qu'il s'éloignait en direction de la cour, le martèlement décroissait, décroissait… Au tournant, il mourut tout à fait.

Le lendemain vers la fin de la matinée, Allouch revint dans ma cellule accompagné des deux gardiens. L'un d'eux, un grand moustachu, la vareuse ornée de deux épaulettes de brigadier, m'enjoignit de le suivre. Je pris mon sac et m'exécutai. Le deuxième gardien se plaça derrière moi. Allouch fermait la marche.

Nous avancions le long du couloir. De part et d'autre, les portes des cellules défilaient, semblables et muettes comme les salles d'un collège par un jour férié. Nous traversâmes la cour où les détenus faisaient leur promenade quotidienne, une vaste aire sommairement dallée avec, au milieu, un terrain de basket-ball jonché de crevasses et de nids-de-poule, les supports déglingués, les paniers de guingois. La cour était déserte et triste. Un vent poussiéreux y soufflait par intermittence, faisant vaciller les supports, grincer les paniers. Une tornade naine se déclara soudain au milieu du terrain, emportant dans sa danse folle haillons, papiers, sacs de plastique éventrés… D'une main, le brigadier saisit son képi par la visière ; les deux autres firent de même. La tornade traversa la cour à la diagonale et alla mourir contre le mur d'enceinte ;

les déchets retombèrent sur le sol, moitié de ce côté du mur, moitié de l'autre. Nous pénétrâmes dans le bâtiment 1, réservé aux détenus en régime commun, prîmes un escalier droit parcimonieusement éclairé au néon. Des voix et des bruits divers parvenaient de l'étage, de plus en plus nettement : des appels, des sifflements, des éclats de rire, des huées, des tintements, des quolibets, des vociférations... L'escalier débouchait sur une espèce de carrefour où venaient se croiser trois couloirs, condamnés chacun par un portail en fer forgé à claire-voie. Derrière chaque portail se tenaient deux gardes assis sur des chaises, devisant nonchalamment à travers les barres épaisses. Au moment où nous arrivâmes dans le couloir, ils se redressèrent tous d'un bond, les doigts claquant contre la visière de leur képi. Le brigadier répondit au salut par un furtif hochement de tête. Un jeune garde, le nez de travers, les mâchoires prognates, écarta le battant situé à droite. Le brigadier entra le premier, me fit signe de le suivre. À peine eus-je franchi le seuil que la poignée de mon sac lâcha ; je me précipitai pour le rattraper avant qu'il n'atteignît le sol... Trop tard : il était tombé et, en tombant, la fermeture à glissière avait craqué, vomissant une bonne partie de mes affaires sur le sol. Je m'agenouillai en vitesse et me mis à les remettre dans le sac, pêle-mêle. Allouch me donna un coup de main.

« La poignée et la fermeture à la fois ? fit le brigadier, mi-badin, mi-railleur.

— Oui, bredouillai-je, les deux à la fois...

— C'est sans doute un sac marocain ? ajouta-t-il sur le même ton.

— Chinois ! rectifiai-je.

— Eh bien, c'est encore pire. »

Mes affaires remises dans le sac, nous reprîmes la marche le long du couloir bruyant. Les geôles y étaient plus espacées, les portes plus grandes, peintes en un gris sale, parsemé d'écailles comme les squames d'une peau atteinte de vitiligo. Le brigadier s'arrêta devant la geôle numéro 19. Le jeune garde déverrouilla, le battant ferré s'écarta sur ses gonds en émettant un geignement sourd. Un grand barbu en survêtement bleu rayé de blanc se découpa dans l'embrasure, raide comme un piquet, les yeux braqués sur l'entrée, les bras croisés, le corps bâti en un hercule forain. Par-dessus ses épaules carrées se tendaient quatre ou cinq têtes curieuses.

« Salam ouâléïkoum ! marmonna le brigadier.

— Aléïkoumou salam ! répondit le grand barbu d'une voix caverneuse. Comment va le monde de l'autre côté des murs, s'di Miloud ? »

Le brigadier pénétra à l'intérieur de la geôle ; le grand barbu se déporta légèrement sur le côté pour lui livrer passage. Le visiteur fit deux ou trois pas puis s'arrêta, promenant un œil méfiant et fureteur à travers la geôle.

« La confusion est grande parmi les enfants d'Allah ! » répondit-il, enfin, sentencieux.

C'était une pièce plus longue que large, assez haute de plafond, éclairée par une fenêtre grillée qui (je vais l'apprendre plus tard) donnait sur la cour de l'établissement. Les murs étaient peints d'un bleu fatigué, lépreux par endroits. Au-dessous de la fenêtre se trouvait une porte étroite qu'on aurait pu prendre pour celle d'un placard mural s'il n'y avait, au milieu, les mots chambre à eau en arabe – euphémisme de latrines –, griffonnés avec la pointe d'un clou ou de quelque autre objet pointu. Un empan plus bas, une autre main y avait ajouté, avec une écriture mieux assurée : « *L'hygiène relève de la foi* », un hadith certifié. De part et d'autre, des lits superposés se faisaient face, quatre de chaque côté. En baissant incidemment les yeux, je remarquai la présence d'un étranger dans la cellule, un Européen d'une cinquantaine d'années, le visage empâté, les cheveux grisonnants, bien fournis sur les côtés. Il était étendu sur son matelas, les doigts entrecroisés derrière la nuque, les paupières mi-closes, l'air dans les vapes. Au moment où mon regard croisa le sien, il se redressa légèrement et me salua d'un signe de la main. Des sacs, des cartons et des chaussures étaient rangés pêle-mêle dans des étagères en bois situées derrière la porte, entre le chambranle et le coin du mur. Sur l'étagère supérieure trônait un petit téléviseur noir, un modèle Sanyo, surmonté d'une antenne de fortune, bricolée avec des fils électriques et des bandes d'aluminium sommairement taillées. Par moment, la cellule dégageait un relent fétide, mélange de vieille urine, de chaussettes sales et de transpiration cumulée.

« Saïd Leghechim ! dit le brigadier en guise de présentation. Motif du séjour : crime passionnel. Saïd est un bon garçon, ajouta-t-il. Calme, poli, instruit, respectueux… Un bon coéquipier, en somme. Une seule mise en garde, toutefois : on ne touche pas à sa dulcinée. Si par malheur cela arrive, l'ange se transforme instantanément en démon. Et alors, bonjour les dégâts ! Humains et matériels. »

Il obliqua vers moi :

« Lui, me dit-il en indiquant d'un coup de menton l'hercule forain planté devant moi, c'est Omar Derraz, le commandant de bord. Il t'expliquera le règlement en vigueur sur le navire. »

Le brigadier pivota sur ses talons :

« Bon vent, les gars ! ajouta-t-il à l'intention des autres détenus.

Le jeune garde referma l'épaisse porte derrière lui. Les détenus regagnèrent chacun son lit ; seul Omar Derraz ne bougea pas de sa place ; le dos contre le bord du lit, les bras croisés, il me dévisageait de ses grands yeux de mollah.

« Bienvenue à bord, frère ! me dit-il après un silence. Voici ta cabine. »

De l'index, il me désigna le premier lit à droite.

« T'en as pour combien ici ?

— Deux ans.

— Comme moi ! intervint un petit homme au teint olivâtre, les yeux ternes et les cheveux hirsutes.

— Lui, reprit Omar Derraz, c'est Brahim Ladib, surnommé le Savant, parce qu'il est aussi illettré qu'un timbre. Les autres membres de l'équipage sont : Abdeljalil Bouchekara, Driss Lekdim, Farid Bouhmine, Moustapha Boukhebza, Hassan Tâarji, et, pour finir, monsieur l'ambassadeur de la République française au centre pénitencier de Boulemharez, Jean-Pierre Merdier !

— Berdier ! rectifia l'étranger.

— Pardon, monsieur l'ambassadeur, je n'arrive jamais à prononcer correctement votre nom.

— Faut pas le croire, me dit l'étranger. C'est un sacré farceur ! »

Il parlait lentement et roulait les *r* – un Français du Sud, probablement. Du pied, je poussai mon sac sous le lit et m'assis sur le bord du matelas.

« Elle doit sûrement être un canon, me dit le grand barbu.

— Pardon ?

— Elle doit sûrement être un canon.

— De quoi parles-tu ?

— De celle qui t'a envoyé ici ! »

J'ai rencontré Houda à la faculté des sciences de Marrakech. Nous étions en première année de biogéologie et suivions les mêmes cours. Elle était dans le groupe BG3 ; j'étais dans le groupe BG4. Elle avait dix-neuf ans ; j'en avais vingt et un. Elle rêvait de devenir professeur de sciences naturelles ; je rêvais d'elle, de vivre avec elle jusqu'au tout dernier de mes jours sous la voûte céleste.

Houda faisait partie de ces rares jolies filles qui, soit humilité soit indifférence, négligent leur beauté, ne font jamais rien pour la mettre en avant, laissant ainsi aux hommes le soin de la découvrir et de l'apprécier à sa juste valeur. Sans quoi – et c'est malheureusement parfois le cas – leur beauté passe inaperçue, tel un diamant d'une extraordinaire pureté qui, faute d'être découvert, demeure enfoui sous terre avec exactement la même destinée que celle d'un vulgaire galet.

Houda était brune, avec des reflets dorés comme chez les filles du désert. Elle avait les traits fins et réguliers, les yeux couleur vieil or et d'une douceur de velours, le corps bien proportionné, les contours harmonieux : un véritable chef-d'œuvre de la Création, pour tout dire !

Quand je l'ai connue, Houda portait le voile ainsi que des ensembles amples, toujours de couleurs sombres. Je la croyais adepte ou, du moins, sympathisante de l'un des deux mouvements intégristes qui avaient le vent en poupe à la faculté des sciences, comme dans toutes les autres facultés de la ville : les Adlistes et les Pjdistes. Je lui posai un jour la question. Elle me regarda, stupéfaite. Elle, intégriste ? Non, je faisais erreur ! Elle n'était membre d'aucun des deux mouvements. Elle n'adhérait d'ailleurs à aucun autre mouvement... Elle suivait juste le courant. Avec toutes ces guerres contre l'islam et les musulmans à travers le monde, toutes ces campagnes malveillantes menées par les médias occidentaux contre le Grand Messager, prière et salut d'Allah sur Lui, la plupart de ses copines et camarades de classe s'étaient mises au voile ; elle les avait suivies tout naturellement...

Un jour, suite à une bousculade dans l'autobus qui nous emmenait à la faculté, le voile de Houda se défit soudain et ses cheveux se répandirent sur ses épaules ; ils étaient soyeux et noirs, d'un noir d'ébène, avec de légers éclats violets par endroits. Vraiment, c'étaient de très beaux cheveux. Je le dis à Houda. Elle me fit un petit sourire ému.

« Dommage que des cheveux aussi magnifiques soient voilés ! » ajoutai-je sans réfléchir.

Houda sourit de nouveau, du même sourire ému. La minute suivant ma remarque, je vis son visage prendre un air songeur et son regard errer au loin, absorbé dans quelque réflexion. Comme tous les amoureux dans pareille situation, je voulus savoir à quoi elle pensait, et lui posai aussitôt la question.

« À rien..., me répondit-elle en s'extirpant de sa mystérieuse méditation. À rien de spécial ! »

Pour peu convaincante que fût sa réponse, je n'insistai cependant pas, de peur de l'importuner.

Quelques semaines plus tard et sans que rien ne le laissât prévoir, Houda troqua sa discrète tenue d'intégriste contre un jean serré et une chemise moulante. Mon aimée s'en trouva transformée de fond en comble : de la jeune étudiante qui passait inaperçue ou presque, elle devint soudain le point de mire des mâles, tous les mâles, sans distinction d'âge ni d'état. Les étudiants qui, naguère encore, ne la remarquaient même pas quand elle passait, la lorgnaient désormais avec des airs de bête salace. Dans la rue, les hommes coulaient sur elle des regards troubles ; certains claquaient désespérément de la langue ou poussaient des grognements sourds... Dès que je m'éloignais un peu d'elle, les coureurs de jupons se mettaient à lui tourner autour comme des carnassiers alléchés par une proie rare.

Face au danger grandissant, je dis un jour à Houda de revenir à sa tenue d'avant : il n'y avait pas d'autre moyen de dissuader tous ces fâcheux qui la poursuivaient sans répit de leurs assiduités. Elle me sortit alors une réponse qui faillit m'étrangler de bonheur : c'était pour moi, et pour moi seul, qu'elle s'habillait en fille moderne : pour me faire plaisir ! Ne lui avais-je pas dit un jour moi-même que c'était dommage qu'elle mît sous voile de si magnifiques cheveux ?

Cependant, les admirateurs et coureurs de jupons continuaient de s'empresser autour de mon aimée, à la faculté, dans la rue, sur la plateforme des autobus, partout, inlassablement. Avoir une jolie compagne dans ce pays n'est point une affaire de tout repos : il faut être continuellement sur le pied de guerre, prêt à se battre contre ceux, oh combien nombreux, qui ambitionnent de vous la prendre, ou tout simplement de briser votre couple. À bout de patience, je décidai d'intervenir. Il y eut des altercations, des empoignades, des échanges de coups… Un jour, suite à une violente rixe avec un don juan notoire de la faculté des sciences au cours de laquelle mon œil droit fut beurré au noir et l'une de mes incisives ébréchée, Houda me dit que la meilleure façon de rabrouer ces importuns-là était plutôt de les négliger, de faire comme s'ils n'existaient pas.

« Et d'ailleurs, ils n'existent pas ! ajouta-t-elle, rassurante. Car c'est toi et toi seul que j'aime ; les autres peuvent toujours courir ! »

Ces mots sortis du fond du cœur dissipèrent instantanément mes doutes et apaisèrent mes inquiétudes. Ma poitrine s'emplit d'une confiance totale en l'avenir ; plus rien ni personne ici-bas ne me semblait désormais à même d'ébranler un tant soit peu notre amour. Je ne me préoccupai plus des coureurs de jupons, dorénavant sûr et certain que de mon aimée ils n'obtiendraient que dédain et rebuffades.

Est-il besoin de le dire : j'aimais Houda. Je l'aimais comme je n'avais jamais aimé personne auparavant : de tout mon cœur et de toute mon âme. Je l'aimais d'un amour entier, passionné, éperdu, avec, en permanence, un impérieux besoin de la savoir à moi, à moi seul et pour la vie. Oui, j'étais jaloux, jaloux et possessif comme tous les grands amoureux. D'ailleurs, l'amour, pour ce que j'en sais, ne peut être qu'ainsi : jaloux et possessif. Autrement il ne mériterait pas cette noble appellation.

Houda n'était pas d'accord avec moi sur ce point ; elle disait que la jalousie et le désir de possession nuisaient à l'amour. Peut-être avait-elle raison. Je ne sais pas. Tout ce que je sais, c'est que je l'aimais en amoureux jaloux et possessif. Je l'aimais ainsi depuis que mon regard avait croisé le sien ; je m'en souviens encore comme si cela ne datait que d'hier. C'était un jeudi après-midi à la bibliothèque de la faculté. Je me trouvais devant l'un des rayonnages de géologie, cherchant des yeux *La Géologie de l'environnement* de Jean Goguel, un ouvrage au programme de première année. Ayant repéré le livre, je tendis le bras pour le retirer; ma main heurta accidentellement une autre main, tendue au même moment pour prendre le même livre. J'obliquai aussitôt, étonné et curieux: c'était une étudiante voilée comme on en voit partout à la faculté. Mais à peine mes yeux eurent-ils croisé les siens que quelque chose bondit violemment dans ma poitrine. Je bredouillai un « Pardon! » et retirai la main. L'étudiante fit de même. Je la priai de se servir la première. Non, ça ne pressait pas... Elle consulterait l'ouvrage plus tard... Le lendemain ou le surlendemain... J'insistai. En vain. Comme elle s'apprêtait à s'en aller, je lui demandai, moins par curiosité que par désir de la retenir encore un peu plus près de moi, quel chapitre elle voulait consulter dans l'ouvrage en question.

« Celui sur les glissements et les éboulements des plaques, me répondit-elle.

— Mais c'est exactement le même chapitre que je compte consulter, moi aussi! » lui dis-je, très sincère dans mon mensonge.

Elle me regarda avec un petit air étonné sur le visage, ce qui la rendit encore plus belle.

« Et si on faisait une consultation à deux? » ajoutai-je comme ça, sans guère d'espoir, comme on jette une bouteille à la mer.

Prise de court par ma surprenante proposition, la jolie fille ne sut que répondre : elle s'empêtra, se dépêtra, chercha ses mots, desserra les lèvres pour dire quelque chose, se ravisa, hésita encore un moment, gênée, perplexe... Enfin, elle prononça un petit « D'accord ! » furtif et peu convaincu.

Je me présentai : Saïd Leghechim, première année BG4. Elle se présenta : Houda Benhaddou, première année BG3. Nous prîmes place côte à côte sur un banc, non loin du rayonnage. Elle ouvrit le livre au chapitre consacré aux glissements et éboulements des plaques, page 29, et le plaça entre nous sur la table de travail, à distances égales. Ça allait comme ça ? Oui, ça allait bien. Et elle s'abîma tout de suite dans la lecture du chapitre, comme pour ne plus avoir à parler. De temps en temps, à intervalles réguliers, elle arrêtait sa lecture et prenait des notes dans un cahier à spirale, aux pages préalablement préparées à cet effet. Ses notes étaient organisées, son écriture régulière, aérée, facilement lisible. C'était à des camarades comme Houda que les étudiants peu assidus à l'étude préféraient emprunter les cours quand les examens approchaient : il suffisait de les photocopier.

Avant de tourner chaque page, Houda m'en demandait poliment la permission ; j'avais à chaque fois envie de lui répondre « Non » pour la garder le plus longtemps possible près de moi, me rincer encore un peu plus les yeux de son charme et de sa grâce ; pourtant, à chaque fois, je répondais « Oui » pour lui faire plaisir, peut-être aussi pour lui donner de moi l'image d'un garçon docile et sympathique – ce que je crois être réellement. Enfin, la plupart du temps.

Il faut dire que la rencontre avec Houda me fut instantanément fatale : j'en étais tombé fou amoureux à la seconde même où mon regard avait croisé le sien. Une onde électromagnétique avait jailli de l'or de ses yeux et m'avait atteint en plein cœur, comme une balle tirée à bout portant. Depuis, rien n'existait plus en dehors de ma passion ; ma vie entière s'était réduite à Houda ; le reste, tout le reste, le présent et le futur, le soleil et la lune, la terre et le ciel, l'univers entier n'avaient plus aucun sens. Comment cela m'était-il arrivé, à moi qui pourtant ne débutais pas en amour ? Je n'en savais rien. J'avais beau réfléchir, je n'en savais rien. Tout ce que je savais, c'était que mon amour pour Houda datait exactement de cet instant-là : au premier regard, j'étais déjà amoureux d'elle, éperdument amoureux d'elle, amoureux jusqu'aux tréfonds de mon être, jusqu'à la toute dernière de mes cellules, et même bien au-delà ! Et le coup fut si instantané et si violent que, pendant les premiers jours, je me suis cru victime d'un sortilège, de quelque puissant philtre d'amour comme seuls les fkihs et autres sorciers de chez nous savent les concocter. Quelques semaines plus tard, ayant compris que cette explication était indigne de l'étudiant à la faculté des sciences que j'étais, je dus l'abandonner. D'ailleurs, comment Houda m'aurait-elle fait absorber un philtre d'amour alors qu'elle ne me connaissait pas et ne m'avait peut-être jamais vu auparavant ?

Pour Younès, mon copain de toujours, ce qui m'était arrivé avec Houda avait un nom bien précis : coup de foudre. Je n'étais pas d'accord avec lui, car, pour moi, coup de foudre signifie petit béguin sans conséquence, amourette frivole et inconsistante, quelque chose qui arrive plutôt dans les fêtes mondaines, sur les plages ou, plus souvent encore, dans les feuilletons à l'eau de rose diffusés à longueur de journées par nos deux chaînes de télévision. Coup de foudre était donc, pour moi, tout le contraire de ce que j'éprouvais pour Houda.

Ceci dit, peut-être Younès avait-il raison : il connaissait la vie mieux que moi et avait plus d'expérience – sans compter le fait qu'il lisait beaucoup, en arabe et en français.

J'ai connu Younès à l'école primaire ; nous étions des camarades de classe au CE2. Depuis, je me suis lié d'amitié avec lui ; une amitié qui alla se consolidant, classe après classe, année après année. Au lycée, Younès devint pour moi ce que l'on appelle à juste titre un ami véritable : fidèle, dévoué, toujours prêt à rendre service, et toujours de bon cœur.

Younès était un garçon intelligent, dynamique, gentil et plein d'humour. Il aimait faire rire ses amis par ses blagues éculées et ses plaisanteries piquantes. Un amuseur hors pair, un boute-en-train qui aurait diverti un agonisant. Sa verve endiablée, sa faconde intarissable et son esprit de répartie faisaient que l'on recherchait beaucoup sa compagnie. Filles et garçons aimaient à faire cercle autour de lui et à l'écouter, des heures durant. Son verbiage divertissait, détendait l'ambiance, faisait rire même les plus moroses parmi nous. Younès était en outre un palabreur sans égal : il avait toujours le mot juste, le verbe haut, l'image inouïe, l'argument sans appel.

Au lycée, Younès passa par deux pénibles épreuves, à seulement quelques mois d'intervalle. Il parvint à les surmonter, mais il ne serait plus jamais le même : quelque chose s'était brisé en lui. Définitivement. Irrémédiablement.

Au cours de la première année du lycée, à la surprise générale, Younès tomba éperdument amoureux d'une camarade de classe nommée Latifa Jelloun, une jolie brune, pleine de grâce et de charme. Latifa réservait le même sentiment à Younès, si pas plus encore. Les deux amoureux s'aimaient d'un amour passionné, si passionné qu'ils ne se séparaient pratiquement jamais ; où l'on voyait Younès, on voyait Latifa. Leur amour devint bientôt un modèle de fidélité et d'engagement dans tout le lycée, et même bien au-delà. On disait « Younès et Latifa » comme on dit « Isli et Tislite », « Kaïs et Layla » ou « Paul et Virginie ».

Younès et Latifa coulaient des jours heureux dans la douce intimité de l'amour partagé. Jamais la moindre perturbation dans leur ciel. Jamais le moindre nuage. Le bonheur absolu.

Younès et Latifa s'aimaient ainsi depuis la première année du lycée. Ils s'aimèrent encore plus en seconde, poursuivirent leur idylle durant toute la première partie de l'année de terminale. Les vacances du deuxième trimestre arrivèrent vers la fin mars – une dizaine de jours, allant du vendredi 25 mars au dimanche 3 avril. Les élèves et les étudiants de la cité ocre apprécient particulièrement ces vacances-là, parce qu'elles coïncident avec l'arrivée des premières chaleurs sur la ville. La nature s'épanouit, les bigaradiers et les bougainvilliers fleurissent, les palmiers dattiers libèrent leur pollen. Et les corps se dénudent. Et les chairs s'excitent. Et les désirs s'éveillent… La saison des amours commence alors : les jeunes amoureux désargentés de la Médina se donnent rendez-vous dans les jardins publics ou de l'autre côté des remparts, passant ainsi des après-midi entiers à flirter loin des regards indiscrets, aux abords de la Palmeraie, sous les palmiers de Bab J'did, dans les jardins de la Ménara ou de l'Agdal…

Pour son aimée, Younès voulait faire un peu mieux que ses congénères fauchés de la Médina : depuis des semaines, il projetait d'emmener Latifa dans la vallée d'Imlil pour lui montrer « le monde d'avant le péché originel », un merveilleux coin de forêt situé à une lieue en amont du village. Il comptait aussi l'inviter au Colisée pour voir *Les Ailes de l'amour*, le dernier long métrage d'Abdelhaï Laraki.

Désirant lui faire la surprise, Younès ne révéla pas ses projets à Latifa. Il ne les lui révélera jamais, Latifa lui ayant annoncé, la veille des vacances, une nouvelle qui invalida tous ses projets : elle partait le lendemain à Casablanca en compagnie de sa mère. Younès leva sur son aimée des yeux hébétés. À Casablanca ? Oui, à Casablanca. Et pourquoi ? Parce que sa mère voulait rendre visite à un parent hospitalisé d'urgence là-bas. Elle lui avait demandé de l'accompagner... Elle ne pouvait pas refuser... C'était une femme très fatiguée, sa mère... Diabétique et hypertendue... De temps en temps, elle faisait de petites attaques... Le médecin leur recommandait de la surveiller de près...

Ne pouvant contourner l'empêchement, les deux amoureux convinrent de se revoir à la rentrée. Bien entendu, ils resteraient continuellement en contact par SMS et par courriels ! Et ils se téléphoneraient aussi, dès qu'ils auraient quelques dirhams en poche...

Au moment de la séparation, Younès et Latifa se retirèrent derrière un camion garé non loin de là, le temps d'un baiser d'adieu.

« Bon voyage, mon amour ! lui dit-il d'une voix altérée. Et prends bien soin de toi ! »

Latifa essuya une larme dans le manche de son chandail et s'en fut, agitant la main droite en signe d'au revoir.

Le jour de la rentrée, Latifa ne rentra pas. Il était neuf heures du matin ; Younès lui téléphona aussitôt sur son cellulaire. Une voix lui apprit qu'il était sur sa boîte vocale. Il y laissa le message suivant : « Salut Latifa ! C'est moi, Younès. Es-tu bien rentrée de voyage ? Je t'embrasse très fort et espère te revoir tout à l'heure au lycée ! »

Une heure plus tard, Latifa n'avait pas encore donné signe de vie. Younès lui retéléphona, tomba de nouveau sur la boîte vocale, y laissa un autre message : « Salut Latifa ! C'est encore moi, Younès. Je commence à m'inquiéter. Donne-moi de tes nouvelles, s'il te plaît ! Je t'embrasse très fort ! »

À onze heures, et comme Latifa gardait toujours le silence, Younès me demanda de l'accompagner chez elle. Nous avions un cours d'éducation islamique de onze heures à midi ; nous le séchâmes sans regret.

Latifa habitait le quartier Elkennaria, une venelle exiguë, pisseuse, plongée par endroits dans un clair-obscur de silos à céréales. Arrivés devant la maison, Younès s'arrêta, gêné et incertain. Je lui demandai ce qu'il avait. Il ne savait par quoi commencer… Il ne connaissait pas les parents de Latifa… Il ne savait pas comment se présenter à eux, ni quoi leur dire… Sans compter que cela ne se faisait pas, dans le pays : un garçon qui vient aux nouvelles d'une fille avec qui il n'a aucun lien de famille ! Je l'encourageai, le poussai même un peu à y aller, étant venus jusque-là…

« Mais je ne sais pas quoi dire à ses parents ! répétait-il, très embarrassé.

— Présente-toi à eux comme le délégué de la classe, lui proposai-je après réflexion. Dis-leur qu'à ce titre, tu viens aux nouvelles de la part de tes camarades de classe. C'est une démarche administrative, propre et bien à l'abri de tout soupçon. Les parents n'y trouveront absolument rien à redire. »

Younès finit par se décider. Il s'approcha de la porte, souleva le heurtoir en cuivre, le laissa retomber. Je me tenais sous le porche d'une masure voisine, l'allure décontractée, l'air d'un badaud de la Médina, désœuvré et oisif. Une vingtaine de secondes s'écoulèrent avant qu'un bruit de babouches raclant lentement le sol ne parvienne du vestibule. La lourde porte en bois massif gémit sur ses gonds puis s'ouvrit en poussant un râle de moribond. Une femme se détacha dans la béance ; elle était vêtue à l'ancienne : fichu noué sous le menton et caftan ample, les manches retroussées, le pan avant relevé. Elle avait les traits défaits, le maintien affligé, les paupières enflées, l'air visiblement malheureuse ou malade, ou les deux à la fois. Au moment où elle leva les yeux sur Younès, je vis passer dans son regard un air de ressemblance avec Latifa. Sans doute était-ce sa mère.

« Bonjour Lalla ! lui dit Younès avec un grand sourire de circonstance. Je suis le délégué de la terminale sciences expérimentales 3, la classe de Latifa… Comme elle s'est absentée toute la matinée, nous nous inquiétons, mes camarades et moi… Certains de nos professeurs aussi… Alors je suis venu aux nouvelles… Vous savez, c'est aussi mon devoir en tant que délégué de la classe d'aller aux nouvelles des camarades absents…

— Merci beaucoup, mon fils, de t'être déplacé jusqu'ici ! dit-elle, très émue. Tu es un garçon bien, mon fils, un garçon de bonne famille sans aucun doute ! (Elle se tut soudain, l'air de quelqu'un qui lutte contre une brusque envie de pleurer) Excuse-moi, mon fils, reprit-elle dans un soupir : que te dire de Latifa ? Je ne sais quoi te dire, ni par où commencer... (Des larmes lui montèrent aux yeux ; elle se détourna légèrement.) Latifa est partie hier ! finit-elle par dire d'une voix altérée. Oui : elle est partie hier !

— Puis-je savoir où, Lalla ? » lui demanda Younès en proie à la plus vive inquiétude.

La femme épongea ses larmes avec la manche de son caftan délavé :

« Loin ! Très loin, mon fils ! Au pays des Émirats arabes... »

Une pâleur cireuse envahit le visage de Younès, s'étendit jusqu'au lobe de ses oreilles, puis jusqu'à son cou. Le monde s'assombrit brusquement autour de lui, la terre se déroba sous ses pieds ; il tendit le bras et s'accrocha à l'encadrement de la porte, comme pour parer une chute impromptue.

« Oui, mon fils ! poursuivit la femme, la gorge nouée de sanglots. Latifa est partie aux Émirats arabes pour y travailler... Est-ce que par hasard tu connaîtrais un peu ce pays, mon fils ? »

Younès hocha la tête de droite à gauche.

« Non, tu ne connais pas ! Normal que tu ne connaisses pas, mon fils ; c'est un pays lointain, trop lointain, les Émirats arabes... Pratiquement à l'autre bout de la Terre, m'a-t-on appris... Ma fille aux Émirats arabes ! Jamais je n'aurais pu penser qu'une chose pareille m'arriverait un jour, à moi, Mahjouba, fille de Allal le tisserand... ! Mais c'est au quidam qui lui a mis ce bobard dans la tête que j'en veux, moi ! C'est lui, et lui seul, la cause de mon malheur !

— Qui est-ce ? susurra Younès.

— Un certain Hakim, plus connu par son surnom, le Visa ! C'est lui la cause de mon malheur... ! Il lui a fait miroiter les grosses sommes d'argent qu'elle tirerait de son travail là-bas. Un travail facile et très bien rémunéré ! lui répétait-il pour l'appâter. Et elle a mordu à l'hameçon ! Et elle l'a suivi, sans même prendre le temps de se renseigner un peu... Tu sais, mon fils, moi je ne voulais pas qu'elle parte avec cet inconnu. Je ne voulais pas qu'elle abandonne ses études. Mais elle ne m'écoutait pas, Latifa ! Elle ne m'écoutait pas ! Elle était comme ensorcelée par ce Hakim... ! Dis, mon fils, tu ne connaîtrais pas un peu ce Hakim, alias le Visa, par hasard ? »

Younès hocha à nouveau la tête de droite à gauche sans mot dire.

« Non, tu ne le connais pas, mon fils ! Normal que tu ne le connaisses pas : Marrakech est trop vaste, on ne peut y connaître tout le monde... ! Si ça se trouve, ce Hakim peut bien être un garçon de bonne famille tout comme toi, mon fils, puisqu'il a eu la gentillesse de prêter à Latifa de quoi payer son billet d'avion – une fortune, apparemment ! D'un autre côté, je ne comprends pas pourquoi il ne s'est pas présenté à nous avant, ce Hakim, pour qu'on le voie, qu'on fasse sa connaissance... Tous les jours, je demandais à Latifa de me le présenter, pour qu'au moins je mette une tête sur son nom. Elle me répondait à chaque fois que c'était un homme trop occupé pour aller se présenter aux familles des candidates au voyage. »

Des larmes lui montèrent de nouveau aux yeux, abondantes et chaudes ; elle les épongea avec le pan de son caftan.

« Si au moins, reprit-elle d'une voix entrecoupée de sanglots, je savais... je savais ce que... ce que ma fille Latifa est... est allée... est allée faire là-bas... !

— Sa fortune et la nôtre, créature d'Allah ! » s'écria un homme qui venait de surgir du vestibule.

Effrayée, la mère de Latifa se déporta sur le côté pour lui céder le passage.

« Sa fortune et la nôtre ! Combien de fois dois-je te le dire, créature d'Allah ? »

C'était un énergumène en gandoura et bonnet de nuit, les traits tendus, les yeux exorbités, injectés de sang, la moustache rissolée, les lèvres noircies. Il parlait, ou plutôt criait, postillonnant et gesticulant comme un gros fumeur de kif en manque.

« Qui es-tu, toi ? » demanda-t-il à Younès, mettant tout son dédain dans ce toi.

Le visage de Younès s'empourpra.

« Ce gentil garçon, intervint la femme, est le délégué de la classe de notre fille. Ses camarades et professeurs, ayant vu qu'elle n'était pas là ce matin, l'ont envoyé aux nouvelles.

— Mais de quoi se mêlent-ils, tous ces curieux ? vociféra l'énergumène, un sourcil haut, l'autre à ras la paupière. De quoi se mêlent-ils ? (Il obliqua vers Younès.) De quoi te mêles-tu, toi ?

— Laisse ce garçon tranquille ! intervint de nouveau la mère de Latifa. En venant jusqu'ici, il n'a fait que son devoir.

— C'est un curieux, je te dis ! Et la curiosité est un vilain défaut. »

Younès s'apprêtait à s'éclipser ; l'homme le rappela rudement :

« Attends un peu, toi ! Puisque tu t'es amené jusqu'ici, j'ai un message à transmettre à tous ces bons à rien qui t'envoient : va leur dire de ma part que Latifa a assez perdu de temps avec eux, et que désormais elle s'en est allée faire quelque chose de sa vie, pour elle et pour les siens ! »

Younès, l'air d'un chien battu, acquiesça d'un signe de tête.

« Allez, mets les voiles et disparais de mon champ de vision. Allez, ouste ! »

Younès, la tête rentrée dans les épaules, fila en rasant les murs.

« Et gare à toi si jamais je te retrouve dans les parages ! ajouta l'énergumène, écumant. Par la tête de mon con de père que je t'arracherai les valseuses et les jetterai en pâture aux chats de la ruelle ! »

À peine remis du terrible traumatisme provoqué par la trahison de Latifa, Younès fut de nouveau terrassé par un autre coup du destin, encore plus traumatisant : la mort de Moulay Boubker, son père, dans un accident de la circulation.

C'était un jeudi après-midi. Moulay Boubker roulait à vélo en direction du souk Lekhmiss, où il tenait un magasin de bric-à-brac. Arrivé au rond-point de Bab Doukkala, il fut renversé par un automobiliste roulant sur les chapeaux de roue ; le choc fut si violent que le pauvre homme rendit l'âme sur le coup.

Vers dix heures du soir, alors que son père n'était pas encore rentré à la maison, Younès m'envoya un texto me demandant si je pouvais le rejoindre à l'entrée en arcade de Riad Zitoune, notre rendez-vous habituel. Dix minutes plus tard, j'étais au lieu dit. Younès mit aussitôt sa petite motocyclette en marche et nous partîmes à la recherche de Moulay Boubker, décidés à le retrouver, quitte à passer tout Marrakech au peigne fin, Médina et Ville Nouvelle. Nous fouillâmes le souk Lekhmiss, échoppe par échoppe, gargote par gargote, refîmes par deux fois le trajet que le bonhomme suivait habituellement pour se rendre à son travail. Comme toutes nos recherches demeuraient vaines, nous décidâmes, à notre corps défendant, de faire le tour des postes de police et hôpitaux de la ville. Pour aller dans ces endroits-là, il faut avoir les nerfs solides et beaucoup de sang-froid : les individus qui soi-disant y travaillent sont en général des malotrus, sans éducation ni scrupules. Ils vous renvoient de service en service, de bureau en bureau et, à chaque fois, pour obtenir une réponse, il faut patienter, faire preuve d'une grande maîtrise de soi. Parfois, il faut carrément s'écraser, s'aplatir devant le fonctionnaire d'en face ou alors lui graisser la patte – un petit billet de banque ou un paquet de cigarettes, même entamé, font l'affaire. Le plus beau pays du monde se transforme en un épouvantable cauchemar dès que l'on franchit le seuil d'un commissariat de police, un hôpital, une brigade de gendarmerie royale ou encore un tribunal.

Vers minuit, nous découvrîmes enfin Moulay Boubker, le corps inerte, à la morgue de l'hôpital Avicennes.

Le lendemain matin, nous nous rendîmes au Commissariat central. L'officier de police chargé d'enquêter sur l'accident, un grand escogriffe aux yeux mauvais, nous apprit que le meurtrier avait pris la clé des champs.

« Y a-t-il une possibilité de l'arrêter un jour, Chef ? » lui demanda Younès.

Le grand escogriffe étira les lèvres et écarta les bras en signe d'incertitude ou d'impuissance.

« Une enquête était ouverte, répondit-il avec un sérieux qui sonnait faux. Sauf que pour l'instant, elle est au point mort !

— Pourquoi, Chef ? protesta Younès.

— Faute de témoins oculaires, coco ! Une enquête sans témoins, ajouta-t-il sur un ton sentencieux, est comme une automobile sans carburant : elle a beau s'appeler automobile, elle ne bouge pas d'un iota.

— Comment se fait-il, lui demanda Younès sur un ton de protestation, qu'il n'y ait pas de témoin alors que le meurtre a eu lieu au carrefour de Bab Doukkala, l'un des plus animés de la ville, et au début de l'après-midi, qui plus est ? Je suis sûr que les boutiquiers et les marchands des quatre-saisons qui se trouvent dans le coin ont vu le criminel ou, du moins, sa voiture.

— Nous les avons tous interrogés ! répondit le policier. Un par un : personne n'a rien vu ! La plupart ont d'ailleurs dit qu'à l'heure de l'accident, ils se trouvaient chez eux pour le déjeuner, et la sieste qui s'ensuit habituellement. Nous avons alors fait ce que nous faisons d'habitude dans de pareilles situations.

— Qu'est-ce que vous avez fait, Chef ? lui demanda Younès.

— Nous avons lancé un appel à témoin sur les ondes de la radio.

— Quelle radio, Chef ? » lui demandai-je, juste pour dire quelque chose.

Pris au dépourvu par ma question, le grand escogriffe sursauta sur son siège :

« Quelle radio ? répéta-t-il en homme à court de réponse et qui s'efforce d'en inventer une. Quelle radio ? Comment elle s'appelle déjà, cette radio de mes deux... ? Maudit soit Satan qui me fait tout oublier ! Elle s'appelle... Elle s'appelle... Le problème, c'est que les radios, j'en connais une multitude. Une centaine, au moins ! Du Maroc et d'ailleurs... Les noms se bousculent dans ma tête mais je n'arrive pas à retrouver le bon, celui que je cherche en ce moment... ! Comment elle s'appelle, cette putain de radio... ? Elle s'appelle... Elle s'appelle... Je sens que ça va me revenir... Oui, voilà, elle s'appelle la Radio du Maroc ! Oui, c'est bien cela : la Radio du Maroc ! »

Nous échangeâmes, Younès et moi, un regard interrogateur.

« Vous ne connaissez pas ? nous demanda le grand escogriffe.

— Non, Chef! répondis-je. Je n'en ai jamais entendu parler.

— Peut-être la connaissez-vous sous un autre nom, concéda-t-il. Vous savez, ces choses-là portent parfois plusieurs noms, radio ceci, radio cela... Mais nous, les fonctionnaires de l'Intérieur, nous les appelons par leur vrai nom. Et le vrai nom de cette radio, comme d'ailleurs de toutes les autres, c'est la Radio du Maroc! Le Maroc, c'est l'État, n'est-ce pas ? Par conséquent, toutes les radios qui y émettent sont des radios de l'État. D'ailleurs, dans ce pays, tout appartient à l'État: les radios, les télévisions, les routes, les forêts, les montagnes, les oueds, les hommes, les femmes, vous, moi... Enfin tout, tout appartient à l'État...! Mais nous voilà perdus dans une longue digression. De quoi parlions-nous, déjà... ? J'ai encore oublié... Décidément, je n'ai plus de mémoire...! Nous parlions de...

— De l'appel à témoin, intervint Younès

— Oui, de l'appel à témoin...! Comme je vous disais, nous en avons bien lancé un sur les ondes de la radio, la Radio du Maroc, bien entendu, mais pour l'instant, personne n'a pris contact avec nous. Non, personne... »

Le policier retira da la poche de sa vareuse un paquet de Winston. Il en prit une, la tapota un moment contre l'ongle de son pouce avant d'y mettre le feu. Il aspira avidement une grosse bouffée, l'emprisonna dans ses poumons pendant quelques secondes puis la restitua, moitié par la bouche, moitié par les narines, d'un jet.

« À mon avis, reprit-il sur un ton de confidence, le meurtrier de votre père est sans doute un bandit à bord d'une voiture fauchée.

— Comment en êtes-vous arrivé à cette conclusion, Chef? lui demandai-je.

— En faisant travailler mes méninges, coco! répliqua le grand escogriffe, tapotant de l'index sur sa tempe droite. Car, voyez-vous, un automobiliste en règle ne prendrait pas la fuite. Non, il ne prendrait pas la fuite! Pourquoi la prendrait-il, puisque c'est les assurances qui paient tout, en fin de compte?

— Qu'allons-nous faire, alors, Chef? lui demanda Younès.

— Ce que vous allez faire? fit le policier, pensif. Ce que vous allez faire... ? Bonne question! »

Du tiroir de son bureau, il sortit un capuchon de stylo Bic, s'en cura soigneusement l'oreille droite puis l'oreille gauche, essuya sa récolte dans un feuillet dactylographié qui traînait devant lui.

« Dites, demanda-t-il en rangeant le capuchon dans le tiroir, il avait quel âge, votre père?

— Soixante-cinq ans.

— Soixante-cinq ans ? Avouez qu'à cet âge-là, on est déjà un peu sur le départ, accident ou pas ! Mon dab à moi a cassé sa pipe à cinquante-neuf ans, c'est-à-dire quinze ans de moins que le vôtre. Et vous savez comment ? En faisant sa sieste ! Oui, oui, en faisant sa sieste ! Je me souviens encore bien : le bonhomme avait un peu mal au côté gauche, un petit bobo de rien du tout qui, d'ailleurs, ne l'a pas empêché d'avaler son couscous jusqu'à la dernière graine ni d'absorber ses trois verres de thé sucrés à souhait. Ma mère, qu'Allah ait son âme dans Sa vaste miséricorde, lui a ensuite concocté une petite infusion pour apaiser son bobo. Le bonhomme l'a prise gentiment puis s'est retiré dans son alcôve pour sa sieste quotidienne. À l'appel du muezzin pour la prière d'alâsser, ma mère est allée le réveiller comme tous les jours : elle l'a trouvé inerte sur sa couche. C'est vous dire qu'à cet âge-là, on n'attend plus qu'un petit prétexte pour tourner le coin : un rhume, une indigestion, un tour de rein, une crampe, une courbature, un mal de tête, une glissade sur un crottin, une contrariété, enfin n'importe quoi... Et, croyez-moi, pour votre vieux, là, c'était sûrement le cas : l'accident au carrefour de Bab Doukkala n'était qu'un prétexte ! J'en suis certain. Alors, si vous voulez m'écouter, je vous donnerais bien un conseil, et ce sera le mot de la fin.

— Nous vous écoutons, Chef! lui dit Younès.

— Mon conseil est le suivant : rentrez chez vous et tournez la page !

— Mais, protesta Younès, vous ne...

— Non! le coupa le grand escogriffe avec une colère soudaine. J'ai assez perdu de mon temps avec vous ! »

Younès voulut ajouter quelque chose; le policier l'interrompit avant même qu'il ait desserré les lèvres :

« Non ! tonna-t-il sur un ton sans appel. J'ai assez salivé comme ça ! L'enquête sur votre vieux n'est pas mon seul boulot de la journée. »

D'une main, il souleva une liasse de dossiers qui traînaient devant lui et les laissa retomber bruyamment sur le bureau ; des feuillets s'en détachèrent et se dispersèrent sur le sol.

« Tout ça, c'est des enquêtes qui attendent d'être tirées au clair : des morts sur les routes comme votre vieux, des blessés graves, d'autres moins graves, des vols, des viols, des rixes, des empoisonnements, des enlèvements, que sais-je encore ! Tout ça attend d'être tiré au clair. Par qui ? Par moi, chef Keddour ! Pauvre chef Keddour ! Alors, s'il vous plaît, ne me faites pas perdre mon temps. »

Et pour bien nous signifier qu'il ne voulait plus de nous dans son bureau, il saisit un stylo Bic et fit mine de gribouiller quelque chose sur un feuillet.

Le lendemain, après l'enterrement, nous nous rendîmes sur les lieux de l'accident et ouvrîmes notre propre enquête. Trois marchands des quatre-saisons qui se trouvaient là au moment de l'accident nous donnèrent la même version des faits : le meurtrier conduisait une Peugeot 309 grise et descendait la rue Bab Doukkala à tombeau ouvert. Nous retournâmes immédiatement au Commissariat central, contents d'apporter au chef Keddour des éléments pour faire avancer l'enquête. Ce dernier, pas du tout content de notre détermination à suivre l'affaire, convoqua les trois témoins au commissariat pour, nous dit-il, qu'ils y fassent leur déposition. Arrivés sur les lieux, les trois hommes firent volte-face, jurèrent par tous les saints de la cité ocre qu'ils n'avaient rien vu.

« Il fallait me croire, nous tança le grand escogriffe, quand je vous disais qu'il n'y a pas de témoin de l'accident !

— Je vous jure, Chef, se défendit Younès, que ces trois-là nous ont déclaré bien des choses sur l'accident quand nous sommes allés les voir !

— Et vous les avez crus, n'est-ce pas ? On voit bien que vous ne connaissez pas les marchands des quatre-saisons, tout Marrakchis que vous êtes ! C'est des farceurs, les marchands des quatre saisons ! Des plaisantins patentés ! Leur plus grand plaisir ici-bas est de se payer la tête des citadins que nous sommes.

Pour eux, c'est un véritable exploit, une prouesse qu'ils se racontent en jubilant et en se tapant dans les mains ! Je suis sûr qu'en ce moment, ces trois-là sont en train de se gausser de vous à la sortie du commissariat. Vous pouvez… »

Il interrompit sa phrase et retira à la hâte un portable de la poche de sa vareuse. En guise de sonnerie, l'appareil émettait de plus en plus fort une musique vulgaire, un extrait d'une chanson des Cheïkhates, les danseuses du ventre. Au moment où il allait accepter l'appel, la sonnerie s'arrêta. Il regarda l'écran, fronça les sourcils, s'efforçant probablement de mettre un visage sur le numéro affiché. Fatigué, il renonça et posa l'appareil sur le bureau, à portée de main. C'était un modèle coulissant, un Nokia dernière génération, très sophistiqué, deux mille cinq cents dirhams au bas mot.

« Écoutez-moi bien, reprit-il, vous êtes en train de perdre votre temps, et de me faire perdre le mien. Votre vieux est mort, bel et bien mort. Personne ne vous le rendra : ni la police, ni les témoins, ni les tribunaux, ni même Sa Majesté le roi en personne ! Alors, soyez raisonnables et rentrez chez vous. »

Pourquoi, une fois au commissariat, les trois témoins s'étaient-ils rétractés ? Nous ne saurions la vérité que deux semaines plus tard, lorsqu'un quatrième témoin, lui aussi marchand des quatre-saisons, a accepté de nous parler. L'homme, un paysan de l'Atlas fraîchement débarqué en ville, nous avoua avoir vu l'accident mais refusa d'en dire plus. Nous tentâmes de lui faire changer d'avis : pour toute réponse, il saisit un plumeau et se mit à en donner de petits coups sur un cageot de dattes pour en chasser des abeilles ou des mouches, par ailleurs invisibles.

« C'est des dattes du pays ? lui demanda Younès après un silence.

— Oui ! répondit le marchand, étonné par l'intérêt que Younès semblait subitement accorder à sa marchandise. Elles viennent d'arriver tout droit de Zagora.

— Donne-moi-z-en un kilo ! »

Le marchand, de plus en plus étonné, se mit à le servir tout en se demandant ce que ce jeune homme faisait dans la vie pour acheter une telle quantité de dattes sans même en demander le prix. Younès retira de sa poche un billet de cinquante dirhams flambant neuf et le tendit nonchalamment au marchand. Celui-ci s'apprêtait à rendre la monnaie.

« Garde le reste ! » lui dit Younès avec un air détaché et désinvolte que je ne lui connaissais pas.

De l'étonnement, le marchand passa à l'admiration. Il faut dire que des clients aussi généreux ne courent pas les souks de la ville.

« C'est sans doute quelqu'un de très important, ce jeune homme ! se dit-il, vivement intéressé. Un caïd, un inspecteur de police, peut-être même un juge ! Voici venue pour moi l'occasion de faire une connaissance haut perchée, à toutes fins utiles... »

Et il rappela Younès.

« Je veux bien vous aider pour l'accident, Sidi ! fit-il, l'air désolé. Seulement voilà, j'ai peur d'avoir des ennuis par la suite. »

Younès lui promit de ne pas le citer comme témoin. Le marchand regarda à droite, regarda à gauche, pivota sur ses sandales, balaya les parages d'un coup d'œil méfiant et soupçonneux... Enfin, s'étant assuré qu'il n'y avait pas d'oreille indiscrète autour de lui, il pencha la tête vers Younès comme pour lui confier un secret :

« Je ne connais pas personnellement le meurtrier, Sidi, mais j'ai vu un détail qui vous mettra sur sa piste.

— Lequel ?

— Il portait l'uniforme bleu de la police. »

Une pâleur de cire envahit le visage de Younès ; on lui aurait griffé les joues, pas une goutte de sang n'en aurait perlé.

« N'oubliez pas, Sidi, que vous m'avez promis de ne pas me citer comme témoin ! » lui rappela le marchand, implorant.

Younès s'en fut sans répondre.

De ces deux drames, Younès sortit transformé ; rien en lui ne rappelait plus le garçon jovial et toujours de bonne humeur qu'il avait été jusque-là. Sa figure, naguère encore épanouie et rieuse, avait pris un air sombre ; son regard s'était rembruni, son front raviné de deux rides indélébiles.

Parallèlement à cette transformation physique, une autre, d'ordre moral, s'opérait sourdement en lui : le regard qu'il portait sur le monde vira au noir, son humeur devint maussade, ses propos, acerbes ; son cœur s'emplit peu à peu d'une hargne irréductible à l'égard du pays, de ses institutions, ses gens, sa religion, ses traditions... Au moindre prétexte, il se déchaînait, fulminant, injuriant et postillonnant comme un énergumène. Ce faisant, les veines de son visage saillaient comme de gros vers de terre, son regard s'embrasait, de l'écume blanchâtre clapotait aux commissures de sa bouche : on eût dit un médium entrant en transe.

Pour exagérés et contestables qu'ils fussent devenus, les propos de Younès émerveillaient néanmoins toujours par l'élégance de leur tournure. Le ton était juste, le mot précis, l'image percutante. « Le Maroc, disait-il par exemple, est un pays sclérosé et bureaucratique. Plus les choses y changent, plus c'est la même chose ! Les Marocains sont, dans leur écrasante majorité, une espèce à fuir :

malhonnêtes, hypocrites, phallocrates, intolérants, bigots, égoïstes, racistes – un véritable ratage de la Création, en somme. »

C'étaient de longues et virulentes diatribes au cours desquelles Younès tirait à boulets rouges sur tout ce qui sentait le pays. Rien ni personne ne lui échappait ; il s'attaquait à tout, démolissait tout, piétinait tout – et toujours avec une hargne n'ayant d'égale que son désespoir.

Et quand on lui demandait quelle alternative il proposait,

« Fuir ! répliquait-il du tac au tac. Fuir ! Aller faire souche ailleurs, sur l'autre rive de la Méditerranée ou de l'Atlantique avec une fille de Jésus, celles de Mohammed étant, toutes ou presque toutes, indignes d'amour… »

Et Younès de s'en prendre à ses concitoyennes, fulminant et postillonnant encore plus violemment. Toute tentative de le raisonner était peine perdue.

En troisième année de faculté, Younès fit la connaissance de Sophie Tisserand, une Suissesse romande, employée dans une compagnie d'assurances à Fribourg. Younès l'avait connue sur un site de rencontres par Internet.

Sophie était une jolie blonde aux grands yeux d'un bleu irrésistible, aux cheveux blonds coupés court, les traits harmonieux, vingt-six ans.

Younès fut instantanément séduit par la beauté de Sophie ; il passait des heures et des heures à admirer la première photographie qu'elle lui avait envoyée sur Yahoo Messenger, un modèle en buste pris devant son ordinateur. La jeune femme y était vêtue d'un débardeur rose à fleurs jaunes, le cou paré d'un collier ancien en argent massif, la tête légèrement inclinée, un grand sourire ensoleillé sur les lèvres.

Tous les soirs, Younès et Sophie se connectaient et communiquaient des heures durant par webcam. Sophie le faisait de son studio de Fribourg ; Younès, lui, à partir des cybercafés de la Médina. Tout son argent de poche y passait.

Au bout de quelques semaines, ils commencèrent à échanger des mots pleins d'affection : Younès lui disait qu'elle avait un visage ravissant et que ses yeux étaient sûrement les plus beaux qu'il ait jamais vus. Sophie lui répondait que le plus grand rêve de sa vie avait toujours été que son chemin croisât celui d'un homme comme lui : brun, mince, les traits fins et les cheveux noirs et bouclés.

Younès et Sophie ont fait connaissance en octobre 2003. Six mois plus tard, Sophie vint en visite à Marrakech pour, lui avait-elle précisé, le rencontrer en vrai et lui parler de vive voix, deux nouvelles expressions dont il prit aussitôt note dans un carnet prévu à cet effet le jour où il avait commencé à communiquer avec Sophie. Depuis ce jour-là, son français s'était d'ailleurs nettement amélioré ; en six mois, il avait fait plus de progrès qu'en deux ou trois années de collège. « L'amour fait des miracles ! » me dit un jour Younès alors que je lui faisais remarquer l'aisance avec laquelle il s'exprimait désormais dans la langue de Rousseau.

Le jour de la rencontre tant attendue fut toutefois pour Younès celui du grand désenchantement : la beauté de Sophie s'arrêtait au cou ; le reste du corps était d'une corpulence rédhibitoire, un bloc de chair et de graisse, une colline de gélatine. Désappointé, Younès accueillit Sophie, un petit sourire triste sur les lèvres. La jeune Fribourgeoise, consciente des conséquences de son stratagème, ne fut guère surprise par l'accueil peu chaleureux que son hôte lui réserva.

À la maison, les frères et sœurs de Younès, venus en famille pour faire bon accueil à celle qui serait bientôt leur belle-sœur, avaient organisé une petite réception avec, au menu, une pastilla aux pigeonneaux préparée par Naima – la sœur aînée de Younès et le cordon-bleu de la famille –, des cornes de gazelle, du jus d'orange et du thé à la menthe de Lebrouj.

J'étais là, parmi eux, à attendre comme tous les autres l'arrivée de la Suissesse. Je regardais les frères et sœurs de Younès admirer une autre photographie d'elle, encore un modèle en buste, pris sur la terrasse d'un café. Tous s'émerveillaient devant le charme irrésistible de l'étrangère. Car elle était vraiment ravissante sur la photo, Sophie : une déesse grecque.

Vers seize heures, Sophie arriva enfin à la maison en compagnie de Younès. Toute la famille accourut dans la ruelle pour l'accueillir. Dès le premier regard, ce fut la douche froide pour tout le monde. L'enthousiasme tomba et l'accueil fut tout juste poli. Sophie encaissa, impassible : elle avait prévu la déception et le malaise de ses hôtes, mais elle avait aussi prévu le moyen d'y remédier. À peine assise, elle déballa les cadeaux qu'elle avait apportés à Younès, toute une collection de produits de marque : un iPhone dernière génération, un appareil photo numérique Samsung, une montre Festina, des lunettes de soleil Ray Ban, des chaussures Nike, un jean Lewis, une cartouche de Winston light, trois tee-shirts Lacoste et, pour couronner le tout, une enveloppe contenant la coquette somme de 1200 francs suisses pour, lui avait-elle précisé, s'acheter un ordinateur portable de bonne marque. Tombé des nues, Younès considérait les cadeaux empilés devant lui avec de grands yeux interdits. Des interrogations assaillirent son esprit. Toutes ces merveilles étaient pour lui, Younès ? Mais que lui arrivait-il, Dieu tout-puissant ? Rêvait-il ou était-il en proie à quelque illusion d'optique ? Il se passa une main sur la figure, se pinça la joue, secoua la tête, écarquilla les yeux, regarda à droite, regarda à gauche… Non, il ne rêvait pas ! Pour sûr, il ne rêvait pas ! Mais que lui arrivait-il, alors ? Il leva deux yeux soupçonneux et méfiants sur les siens, l'air de leur dire : « Farceurs, vous voulez vous payer ma tête ? Eh ben non, je ne me laisserai pas faire ! » Il les passa en revue, un par un… N'ayant rien décelé de suspect, il obliqua et se mit à fouiller des yeux les quatre coins du salon, à la recherche de la caméra cachée…

Fatigué de ses vaines suspicions, Younès finit par se rendre à l'évidence : toutes ces merveilles empilées là, à portée de sa main, étaient pour lui ! Pour son propre plaisir ! Il n'y avait plus à en douter. Et pour trancher tout à fait la question avec lui-même, il se trouva une explication, assez convaincante, du reste : c'était tout simplement la chance qui, lassée de le bouder, avait enfin décidé de lui sourire ! Un revirement du destin ! C'était bien le cas de le dire ! Le jeune homme leva alors les yeux et remercia mentalement le Ciel. Sa prière terminée, il se retourna vers Sophie avec l'intention de la remercier à son tour, lui dire toute sa gratitude... Mais les mots lui manquaient, et l'émotion l'étouffait... Alors, dans un élan de vive reconnaissance, il se redressa à moitié, prit la tête de sa bienfaitrice helvétique entre ses deux mains et la couvrit de baisers de gratitude, à la marocaine.

« Il fallait pas, Younès ! lui disait Sophie, gênée et confuse. Il fallait pas ! Ce ne sont que de menus cadeaux ; tu mérites bien plus que ça, Younès... ! »

Sophie déballa ensuite les cadeaux destinés à la famille : des montres et des lunettes de soleil pour les hommes, des bijoux en plaqué or, des châles de cachemire et des parfums Guerlain pour les femmes, des jeux électroniques sophistiqués et des boîtes de chocolats suisses pour les enfants.

Depuis, et comme par un coup de baguette magique, l'attitude de la famille de Younès envers Sophie changea littéralement : désormais, on se pressait autour d'elle, on l'entourait de prévenances et de petits soins, on la flattait, on la dorlotait comme un enfant chéri. Les femmes l'appelaient kheti Sophie ; les hommes se servaient du titre honorifique lalla ; la mère de Younès l'appelait benti Sophie. Si elle l'avait demandé, beaucoup n'auraient pas hésité à se jeter par terre pour lui servir de paillasson.

Le séjour de Sophie à Marrakech fut agréable, si agréable qu'elle eut de la peine à reprendre l'avion pour sa Suisse natale. Le jour du départ fut un jour de deuil, pour elle et pour ses hôtes marrakchis : les hommes arboraient des mines tristes ; les femmes versaient des larmes sincères ; la mère de Younès, elle, s'était ceinte la tête d'un bandeau noir, signe qu'elle avait un gros chagrin sur le cœur.

Depuis, le cœur de Sophie n'a plus jamais quitté Marrakech. Dès qu'elle avait quelques jours de vacances, elle faisait ses emplettes et sautait dans le premier avion à destination de la cité ocre. Son seul et unique rêve dans la vie était de convoler en justes noces avec Younès et d'écouler ainsi le restant de ses jours en sa compagnie, à Fribourg ou à Marrakech – peu importait le lieu, pourvu qu'elle soit avec lui.

Comme tous les jeunes amoureux désargentés, Houda et moi flirtions dans les jardins publics de la ville, sur des bancs isolés, un peu à l'abri des voyeurs désœuvrés et envieux, derrière les branches denses et tombantes des faux poivriers ou les troncs massifs des oliviers séculaires, sur les terrasses des cafés aux heures où les clients se font rares, à l'encoignure d'une ruelle peu fréquentée, dans la pénombre des venelles surplombées et tortueuses de la Médina… J'enlaçais soudain Houda et écrasais mes lèvres contre les siennes, charnues et duvetées et douces… Bien que de courte durée, ce baiser suffisait néanmoins à nourrir mes rêves des nuits durant : ma mémoire l'enregistrait jusque dans ses détails les plus infimes, puis, le soir venu, dès que je m'enfermais dans ma chambre, elle me le restituait, entièrement, fidèlement. À moi alors d'éterniser cet instant de l'embrassade et d'en profiter à satiété.

Mais en amour, un homme normalement constitué ne peut se contenter éternellement d'enlacements et d'embrassades ; le besoin d'aller un peu plus loin dans la satisfaction de son désir se fait vite sentir, grandit, grandit, devient de plus en plus impérieux, de plus en plus intolérable, et finit même, dans certains cas, par devenir totalement incontrôlable. Avec Houda, je suis passé par les mêmes étapes : au terme de quelques mois de baisers et caresses furtifs, le besoin d'assouvir pleinement mon ardent désir prit le dessus sur tous mes autres sentiments, devint de plus en plus pressant, de plus en plus irrésistible. Parallèlement, quelque chose se nouait dans mon bas-ventre, s'enflait, prenait du volume ; on eût dit un abcès chaud, près de crever mais qui ne crève pas. Un cruel supplice. Une torture insoutenable.

La délivrance me viendra de Younès : alors que ma situation touchait à la limite du supportable, mon ami intervint, comme une providence, et mit un terme à mon calvaire.

Son père mort, ses quatre sœurs toutes mariées et installées dans la vie, Younès, le benjamin de la famille, s'était retrouvé seul avec sa mère, une vieille femme rongée par des rhumatismes articulaires. Il avait tout l'étage de la maison pour lui, un rare privilège dans une Médina où l'on vit habituellement les uns sur les autres. Younès était seul, seul et libre, libre et heureux. Je le mis au courant de mon problème. Il me proposa de me prêter sa chambre. Je sautai sur l'occasion et, le lendemain même, conduisis Houda chez lui, à Derb Dabachi.

C'est dans la chambre de Younès que je fis connaissance avec le corps de mon aimée – une merveille de beauté et de grâce, un festin de plaisirs où tout était au plus haut dans l'échelle de l'harmonie et de la mesure. Cette première image du corps de Houda s'est gravée depuis dans ma mémoire ; elle y devint à jamais une référence pour la beauté féminine. Aujourd'hui encore, alors que cette page de ma vie est définitivement tournée, pas un jour ne passe sans que l'image de ce corps merveilleux et enchanteur ne revienne dans mon esprit, vive et fraîche, comme si elle ne datait que d'hier.

Une après-midi par semaine, je fixais rendez-vous à Houda à l'entrée en arcade de Derb Dabachi. Je me tenais là, à l'attendre, avec toujours une heure d'avance. Younès nous accueillait chaleureusement, nous servait du thé ou du café, bavardait quelques minutes avec nous pour nous mettre à l'aise… À la seconde suivant son retrait, je me ruais sur Houda comme un carnassier affamé sur une proie rare. Je l'enlaçais fougueusement, écrasais mes lèvres contre les siennes dans d'interminables baisers sous-marins… Au moment où un flot dru et tiède débordait de mon slip, je me redressais et filais aux latrines pour y laver ma pollution.

Un jour, alors que nous étions en plein ébat amoureux, je fis un geste qui me surprit moi-même : en un tournemain, j'ôtai à Houda sa culotte et m'apprêtais à commettre l'irréparable. C'était, je l'avoue, un geste irréfléchi et totalement égoïste de ma part. Houda, soudain dégrisée, remonta sa culotte et se remit sur son séant, furibonde. Non, ça, non! Ça, jamais! Jamais elle ne me permettrait de lui faire ça! Comme toutes les filles dignes de ce nom, elle tenait à préserver sa virginité...

Sa colère passée, elle se calma. Assis sur le bord du matelas, le dos courbé, la tête baissée, les yeux fixant un point au sol, je me tançais intérieurement, me traitais de tous les noms... Bientôt, je sentis les bras nus de Houda m'enlacer tendrement. Je n'osai lever les yeux sur elle, tellement j'avais honte de mon geste déplacé et égoïste. Elle m'attira à elle, doucement, amoureusement. Je sentis la douceur de ses seins sur mon flanc gauche. Elle m'embrassa sur la tempe. Elle m'embrassa dans le cou. Elle m'embrassa sur l'épaule. Je ne savais que lui dire; une grande confusion régnait dans mon cœur et dans mon esprit. J'étais contrit. J'étais chagriné. J'étais triste. Houda desserra son étreinte et s'étendit à plat ventre sur le matelas. Je relevai enfin la tête, hasardai un coup d'œil de son côté: elle était là à me regarder, sans nul ressentiment; elle avait les cheveux dans les yeux, ils étaient emmêlés et beaux, des gouttelettes de sueur perlaient sur ses joues et sur son nez. Je m'étendis à côté d'elle, sans réflexion préalable. Elle me sourit amoureusement, et je me sentis soudain réconcilié avec l'Univers ; je me sentis pardonné, absous, aimé de nouveau, aimé comme avant, aimé pour la vie éternelle. Houda continuait de me sourire. Je m'enhardis, tendis une main perplexe, caressai le velouté de son dos, glissai lentement jusqu'à la croupe au galbe parfait, aux contours harmonieux. Houda se redressa légèrement, le visage tourné vers moi, les paupières mi-closes, l'air d'une somnambule. Elle m'offrit sa bouche ; je pris ses lèvres dans les miennes ; elles étaient humides et douces et parfumées, un peu salées aussi, un délice en somme. Je m'enhardis encore un peu plus jusqu'à monter sur elle ; son corps doux et lisse se décontracta comme pour mieux accueillir le mien, pour mieux s'y ajuster. Je glissai mes deux bras sous ses aisselles humides, emplis mes mains de ses seins rebondis et agressifs. Une ivresse infinie montait en moi, troublant mes sens, grisant mes cellules les unes après les autres… Alors que je savourais ces instants exquis de ma vie, Houda prit une initiative qui me transporta hors de moi et du monde sensible : de deux doigts discrets, elle tira sa culotte à dentelles vers le bas, saisit mon sexe raide et haletant et le dirigea subrepticement vers la raie de ses fesses. J'honorai l'invitation : ma verge s'introduisit dans la tendre croupe de mon aimée, d'une traite, comme dans une motte de crème fraîche ; un gémissement de douleur et de plaisir mêlés lui échappa. L'envie n'en fut que plus exacerbée, le désir plus pressant. Je continuai de la pénétrer ; elle continuait de gémir au rythme de mes va-et-vient dans son corps délicieux.

Depuis cette heureuse après-midi-là, nous concluions toujours ainsi nos ébats amoureux. Ce n'était certes pas l'idéal, mais je dois avouer que cela me suffisait. À vrai dire, j'aurais même pu m'en accommoder pour le restant de mes jours sur la machine ronde. Pourquoi exigerais-je davantage puisque, quelques mois auparavant, je vivais encore dans une grande misère sexuelle, où l'onanisme était souvent mon seul et unique exutoire ?

Les années universitaires furent, de loin, les plus belles et les plus heureuses de ma vie. Avec Houda, j'ai connu l'amour, l'ivresse des sens, le ravissement, l'extase, enfin toutes ces délicieuses sensations souvent décrites dans *Les Mille et Une Nuits*, mon livre de prédiléction. Pendant ces années-là, j'ai connu le bonheur, le vrai, celui si bien chanté par les poètes et troubadours des temps révolus. En étais-je conscient ? À aucun moment, au cours de toutes ces années-là, la question ne m'a frôlé l'esprit ; ce n'est que plus tard, bien plus tard, que j'ai compris, mais c'était trop tard. Dieu tout-puissant, pourquoi l'être humain ne prend-il conscience de son bonheur qu'après l'avoir perdu ?

Mon grand-père paternel m'avait appris un jour qu'en règle générale, la vie d'un homme est faite de deux phases bien distinctes : la première comprend l'enfance, l'adolescence et la jeunesse ; la seconde s'étend de l'âge adulte à la mort. Durant la première phase, l'être humain est souvent heureux, mais sans s'en rendre vraiment compte, étant en permanence dans une espèce de détachement et d'insouciance. Au cours de la seconde phase, il passe son temps à regretter son bonheur perdu. À mesure qu'il avance en âge, ses regrets prennent de l'ampleur, deviennent de plus en plus aigus, de plus en plus amers. Et à la fin, il meurt de chagrin et de désespoir.

Apparemment, je n'ai pas dérogé à la règle générale, à ceci près que, pour moi, le temps des regrets est arrivé beaucoup plus tôt que pour le commun des mortels : j'avais vingt-six ans.

Mes quatre années universitaires s'écoulèrent comme un doux rêve, dans le bonheur et l'insouciance. Houda obtint sa licence haut la main, avec la mention bien. Je l'obtins aussi, mais sans gloire, avec le timide qualificatif passable au beau milieu du certificat. Il n'y avait là rien de surprenant : Houda était une étudiante intelligente et appliquée, deux qualités qui m'ont toujours fait défaut. Je n'étais point bête, mais je dois reconnaître que mon intelligence aux études avait ses limites. D'ailleurs, la biologie-géologie, pour ce que j'en sais, n'est pas une branche qui exige de l'intelligence; pour y réussir, il suffit d'avoir une bonne mémoire. La mienne n'est pas mauvaise, mais elle est très sélective dans son fonctionnement : elle retient des choses et en refoule d'autres, sans aucune explication rationnelle. Je souffrais aussi d'un autre problème qui me désavantageait beaucoup par rapport à Houda : la faiblesse de mon aptitude à l'application intellectuelle. En clair, j'avais du mal à me concentrer longtemps sur mon travail; toutes les dix ou quinze minutes, mon attention décrochait et mon esprit s'en allait divaguer au loin, pensant à mille et une choses différentes. Le plus souvent, je rêvais de mes ébats amoureux avec Houda dans la chambre de Younès. Ma mémoire poétique se déclenchait à tout instant, et le film de nos amours défilait devant mes yeux dans ses plus infimes détails... De temps en temps, je faisais un arrêt sur l'image, savourais lentement le plaisir d'un enlacement, d'une caresse, d'un baiser... Mon exquise diversion durait infiniment... et quand je m'en extirpais pour revenir à mes cours, il était souvent trop tard.

À l'université, j'ai achoppé aussi sur un autre obstacle, d'ordre linguistique celui-là : le passage brutal et incompréhensible de l'arabe au français dans l'enseignement des matières scientifiques. Comme tous les étudiants issus de l'école publique, j'avais appris ces matières en arabe jusqu'en terminale. Lorsqu'on arrive en première année à l'université, l'enseignement passe brusquement au français. C'était, pour nous les étudiants issus de l'enseignement public, comme si nous passions soudain d'un monde à un autre, d'une planète à une autre : nous étions complètement déboussolés, nous ne comprenions rien ou presque aux cours dispensés par nos professeurs, exclusivement francophones ; leur jargon scientifique nous rebutait rudement, leur français à l'accent épais et aux *r* roulés nous donnait la chair de poule. Les premières semaines, nous les regardions parler comme on regarderait un moine boudhiste débiter son baratin. Les plus faibles parmi nous en français décrochaient d'ailleurs très vite et allaient s'inscrire dans quelque école professionnelle aux débouchés encore plus incertains que les études universitaires. D'autres, comme Younès et moi, ont fait de la résistance linguistique ; nous nous sommes battus pour apprendre le vocabulaire francophone de nos nouveaux maîtres. Notre combat était long et ardu, nos armes souvent rudimentaires, voire dérisoires : un petit dictionnaire bilingue, un calepin et notre infinie détermination à apprivoiser la langue de La Fontaine. Pour y arriver, bon nombre parmi nous ont dû redoubler leur première année ; quelques-uns ont même triplé.

« Pourquoi, avons-nous demandé une fois à l'un de nos professeurs francophones, les responsables de l'époque ont-il fait ce choix absurde ?

— Pour mieux vous déboussoler ! » a-t-il répondu, après réflexion.

Nous avons éclaté de rire, croyant que notre professeur plaisantait ; mais comme il est resté sérieux et grave, les rires sont vite retombés.

Houda nourrissait depuis longtemps le rêve de devenir professeur de sciences naturelles. À l'origine de ce rêve, une histoire qu'elle m'avait racontée à maintes reprises. Elle était en troisième année de collège et avait pour professeur de sciences naturelles une jeune Casablancaise du nom de Naima Ayour, fraîche émoulue du CPR, le Centre pédagogique régional. La jeune femme faisait partie de ces êtres rarissimes que l'on appelle, sans exagération, les âmes d'élite, ceux et celles que Mère Nature a gratifiés de tous les privilèges de la vie : jeunesse, intelligence, beauté, gentillesse… Naima Ayour était compétente, fine, sympathique, serviable, jolie – vraiment jolie, une Néfertiti des temps modernes. De sa personne émanait un puissant fluide magnétique qui attirait vers elle tous les hommes et toutes les femmes, une extraordinaire force d'attraction à laquelle personne dans son entourage ne résistait. Les professeurs mâles se la disputaient ouvertement, les garçons ne rêvaient que d'elle, les filles l'imitaient en tout ; bref, un modèle, une idole. À la fin du collège, beaucoup de ses élèves optaient inconsciemment pour les branches scientifiques avec, au terme de leur scolarité, le rêve de devenir un jour professeur de sciences naturelles comme Naima Ayour, bien entendu.

Quand mon chemin a croisé celui de Houda, j'ai pris la résolution de devenir moi aussi professeur de sciences naturelles. Je ne connaissais pas Naima Ayour ; je n'avais pas non plus de penchant pour l'enseignement, sachant depuis longtemps que l'enseignant est en général un citoyen qui vit à la limite de la pauvreté. Non, c'est uniquement par amour pour Houda que je me suis engagé sur cette voie ; je voulais tout vivre avec elle, tout partager : ses idées, ses projets, ses rêves…

Le vendredi 28 juin 2002 à 8 heures du matin, nous nous présentâmes ensemble au concours d'entrée à l'ENS de Marrakech. L'école prévoyait de recruter quarante futurs professeurs. Une marée humaine grouillait devant le portail d'entrée, 5 754 candidats très exactement, venus des quatre coins du pays ! Des jeunes, des moins jeunes, des hommes grisonnants, des femmes enceintes… Pour contenir ce monde fou, l'Académie régionale avait dû réquisitionner sept lycées et cinq collèges, mobilisé des centaines d'enseignants pour surveiller les épreuves.

Huit cents candidats réussirent aux examens écrits. Sans surprise, je fus parmi les recalés, mais le bonheur de savoir que Houda faisait partie des candidats admis atténua sensiblement l'impact de mon échec.

Un quart d'heure après, alors que nous attendions l'autobus qui devait nous ramener à la Médina, je me rendis soudain compte qu'en ayant réussi ce concours, Houda passait immédiatement d'une catégorie sociale à une autre : de la catégorie des diplômés chômeurs à celle des fonctionnaires, autant dire une véritable promotion sociale. Mon cœur fut soudain saisi d'une vive inquiétude à l'idée que Houda, devenue professeur, ne veuille plus de moi dans sa vie ; un frisson me traversa le corps de la pointe des cheveux à la plante des pieds, l'avenir s'enténébra devant moi, les idées s'embrouillèrent dans ma tête, plus rien n'y ressemblait à rien… Un instant, je levai les yeux sur Houda avec l'espoir que quelque chose dans son visage viendrait désavouer mes sombres pressentiments ; au même moment, la sonnette de son cellulaire retentit. Elle le retira en vitesse du sac à main, regarda l'écran et, avant d'accepter l'appel, s'écarta ; elle se mit à une bonne distance de moi. Mon inquiétude se transforma alors en un sentiment encore plus cruel, encore plus intolérable : celui d'être de trop, un être gênant et indésirable, un importun. Il n'y a rien de plus mortifiant pour un homme que de se sentir brusquement de trop auprès de la femme qu'il aime. Dans mon cas, j'en étais venu à souhaiter que la terre s'ouvrît sous mes pieds et m'engloutît à tout jamais dans ses profondeurs abyssales.

Houda s'arrêta sous le porche d'une maison, à une vingtaine de mètres de moi. Dans l'état de doute et d'incertitude où je me trouvais, ces vingt mètres me paraissaient comme autant d'infranchissables barrières. Je la regardai : elle parlait avec l'autre au bout du fil, ravie et souriante. Je finis par détourner les yeux, le cœur malade, l'âme foulée aux pieds. De noires idées assaillaient mon esprit, telle une armée de génies malfaisants. Et je repris machinalement mon déprimant monologue. Non, il était peu probable que Houda, devenue professeur, veuille encore de moi ! À quoi lui servirais-je, sans travail ni statut social ? Que deviendrais-je pour elle : une bouche à nourrir, une charge, un fardeau, peut-être même un motif de honte ? Que répondrait-elle si, par exemple, l'une ou l'autre de ses futures collègues lui demandait ce que je faisais dans la vie ? Elle ne saurait que répondre... Elle hésiterait... Elle se retrouverait dans l'embarras... Non, Houda m'abandonnerait sûrement avant d'en arriver là ! Un autre prendrait ma place... Un collègue de travail... Ou un fonctionnaire... Voire un haut fonctionnaire... Jolie comme elle est, Houda n'aura que l'embarras du choix... !

Le dos courbé, le menton dans le creux du cou, je broyais ainsi du noir quand, soudain, une tape sur mon épaule m'arracha à mes tristes réflexions. Je me retournai : c'était Houda.

« Saïd ! me dit-elle comme si elle était en train de lire dans mes pensées. Rien, absolument rien ne me séparera de toi ! »

Le noir se dissipa instantanément autour de moi, mes inquiétudes s'apaisèrent et la vie retrouva soudain ses couleurs de carte postale. Je regardai mon aimée avec l'intention de lui dire toute ma gratitude, de la remercier pour le grand amour qu'elle me portait, mais l'émotion m'étouffait, ma gorge était nouée et ma langue collée à mon palais. À défaut de paroles, je voulus étreindre mon aimée sur ma poitrine, la couvrir de baisers d'amour et de reconnaissance, exprimant ainsi par les gestes ce que je ne pouvais dire par les mots… Au terme d'un immense effort sur moi-même, je parvins néanmoins à tempérer mes ardeurs, les manifestations d'amour sur cette terre d'Allah étant formellement interdites dans les espaces publics, et, pour nous qui ne sommes pas unis par les liens sacrés du mariage, dans les espaces en général.

Le surlendemain, j'accompagnai Houda jusqu'à la salle où elle allait passer les épreuves orales, deuxième et dernier obstacle à franchir avant de voir le rêve de sa vie devenir réalité. La salle d'examen portait le numéro 11. Sans vraiment savoir pourquoi, je n'ai jamais aimé ce chiffre : une vieille superstition sans doute. Je voulais dire ma pensée à Houda ; à la dernière seconde, ayant senti que le moment était inopportun, je me suis néanmoins ravisé.

Une vingtaine de minutes plus tard, Houda réapparut dans l'encadrement de la salle d'examen, le visage illuminé par un grand sourire de satisfaction. Je lui demandai comment elle avait trouvé les questions. À sa portée ! Largement à sa portée. Surtout la partie biologie. Et l'examinateur ? Un homme d'une cinquantaine d'années, élégant, courtois et très sympathique ; il ressemblait comme deux gouttes d'eau à Omar Salim, l'ex-présentateur du 20 heures 45 sur la deuxième chaîne, à l'époque où les Marocains regardaient encore un peu leurs chaînes nationales. Les questions étaient simples mais pertinentes. Elle y avait bien répondu, si bien répondu qu'Omar Salim, enchanté, s'était permis à la fin de la féliciter. Je la félicitai à mon tour.

Quelques jours plus tard, nous fûmes, Houda et moi, de retour à l'ENS. Il devait être dix heures, dix heures trente du matin. Un monde fou s'écrasait devant la fenêtre grillée derrière laquelle on venait d'afficher les résultats finals du concours. Les garçons se mêlaient aux filles, corps à corps, les bousculant et les heurtant sans le moindre égard. De temps en temps, une rixe éclatait, des coups partaient, des cris, des injures et autres insanités fusaient dans l'air. Une étudiante en voile intégral perdit connaissance au milieu de la mêlée : elle fut brutalement repoussée à l'extérieur ; son corps inerte échoua un peu plus loin de la cohue, gisant sur un carré de pelouse dans l'indifférence générale. Une autre, d'apparence plutôt moderne, s'en prit violemment à son voisin, un grand gaillard avec un front de bélier d'assaut, épais et large, l'accusant de trop coller son bas-ventre à ses fesses, le criblant d'injures grossières et de vulgarités à faire pâlir un chiffonnier... À elle seule, la scène était une preuve indéniable que mes concitoyens n'avaient guère évolué depuis l'ère des grands primates.

Je pris mon élan et chargeai à mon tour la cohue grouillante, jouant des coudes, bousculant à coups de rein, usant sans ménagement de toutes les forces que j'avais dans le corps... Au bout de quelques minutes de lutte sans merci, je réussis à me frayer un passage jusqu'à la précieuse fenêtre. Je m'accrochai solidement à la grille de crainte d'en être aussitôt chassé. Mais à peine eus-je lu les trois ou quatre premiers noms de la liste qu'un taliban empestant le musc se rua sur moi, résolu à me déloger de là. J'obliquai vers lui, les yeux chauffés à blanc, les lèvres retroussées sur un rictus de pitbull enragé, les crocs en avant, prêt à faire des dégâts. Le taliban poursuivait sa manœuvre, totalement indifférent à ma menace. Je penchai alors la tête et le mordis à l'avant-bras avec toute la force de mes mâchoires : il poussa un hurlement de buffle blessé à mort et lâcha aussitôt prise. Je me retournai vers la liste : Houda Mansouri ne figurait pas parmi les heureux élus ! Je repassai en vue les quarante noms, un par un, lentement, attentivement : le nom de mon aimée n'y figurait décidément pas. Je lâchai la grille et, immédiatement après, je fus propulsé sur la pelouse par les dizaines de fous furieux qui se disputaient encore férocement l'accès à la fenêtre. Je me retrouvai dans un piteux état : le corps tout meurtri et en nage, l'oreille droite écorchée, le pied gauche nu, les orteils en sang, un pan de chemise arraché... On eût dit une proie qui vient d'échapper, au prix de violents efforts, aux griffes d'un prédateur.

En obliquant, je vis à côté de moi l'étudiante en voile intégral qui avait perdu connaissance dans la mêlée. Elle venait de reprendre l'usage de ses sens et tentait de se redresser sur son séant. J'intervins pour l'aider. D'un signe de la main, elle m'enjoignit de n'en rien faire :

« Non, mon frère en Allah ! me dit-elle dans un arabe des plus archaïques. Notre sainte religion interdit à la femme tout contact physique avec tout autre homme que son époux légitime ! »

Je reculai d'un pas et m'arrêtai, honteux et contrit.

« Par contre, ajouta-t-elle aussitôt, je voudrais bien un peu d'eau ; je meurs de soif !

— Tu la voudrais plate ou gazeuse ? lui demandai-je, me mettant au même niveau de langue.

— De l'eau, implora-t-elle, de l'eau, peu importe laquelle !

— Puisque tu n'as pas de préférence, lui dis-je, je vais de ce pas apporter les deux, la plate et la gazeuse. Tu choisiras à ce moment-là. »

Je lui tournai le dos et m'en allai rejoindre mon aimée qui m'attendait un peu plus loin. Chemin faisant, je cherchai les mots qu'il fallait pour lui annoncer la mauvaise nouvelle sans provoquer de grands dommages. En existent-ils seulement dans pareille situation ? Je les cherchais encore, ces mots, lorsque j'arrivai devant Houda. Elle leva les yeux sur moi.

Je desserrai les lèvres pour dire quelque chose, sans vraiment savoir quoi ; d'un geste, elle me dispensa de la pénible tâche. Elle avait deviné. Dans la vie, il est des moments où l'on se passe de la parole ; un regard suffit à tout saisir, en une fraction de seconde. Houda devint pâle, d'une pâleur de cire ; on eût dit que tout son sang s'était retiré de son visage, jusqu'à la dernière goutte. Un instant, elle lâcha son portefeuille, vacilla sur ses jambes, tangua puis fléchit et s'affaissa sur le sol poussiéreux, la tête entre les bras, comme assommée par un coup de merlin. Je m'accroupis en face d'elle avec l'intention de lui dire quelque chose, de trouver des mots pour la consoler, pour soulager sa peine… mais ma gorge était serrée, tellement serrée, que pas un son n'en sortit. Je demeurai ainsi, figé dans ma posture, l'air prostré, littéralement aphone. Houda fondit brusquement en larmes, de grosses larmes, abondantes et chaudes et qui lui secouaient les épaules. Elle pleura, pleura comme une Madeleine, toutes les larmes de son corps. Il n'y a rien de plus intolérable pour un homme que de voir son aimée en larmes sans pouvoir rien faire pour elle ; cela vous donne l'insoutenable sentiment d'être inutile, complètement inutile, un objet encombrant et hors service. Je commençai à me haïr lorsque quelque chose se déclencha subitement en moi, quelque chose comme un sursaut d'amour-propre ou une montée d'adrénaline. L'instant d'après, je retrouvai la parole :

« Houda, lui dis-je, je sais ce qui t'est arrivé ! »

Mon aimée leva sur moi un visage blême, tout baigné de larmes.

« Tu es victime d'une erreur ! enchaînai-je. J'en suis certain ! Il n'y a pas d'autre explication à ce qui t'est arrivé. J'ai beau réfléchir, il n'y a pas d'autre explication. C'est sûrement une erreur… Une négligence… Un oubli… Enfin, une erreur ! C'est fréquent chez nous, les erreurs… *Errare marocanum est…* »

Je narrai à Houda quelques histoires d'erreurs fatales commises dans les hôpitaux, les tribunaux et autres administrations du pays. Certaines, je les avais entendues raconter autour de moi ; d'autres, je les avais lues dans les journaux ou, tout simplement, inventées de toutes pièces. Houda m'écoutait… Une demi-heure plus tard, elle finit par se calmer. Je la relevai comme on relève un malade ou un blessé, avec beaucoup de précautions. Je lui proposai de boire un jus d'orange avant de reprendre l'autobus ; cela lui redonnerait des forces. Elle accepta. Je l'emmenai sur la terrasse d'un café situé non loin de là, un petit établissement portant le nom d'Espoir, avec des tables et des sièges en fer forgé, peints en bleu Majorelle. Café de l'Espoir, me dis-je intérieurement, tu n'as jamais si mal porté ton nom !

Son rêve de devenir professeur de lycée avorté, Houda se décida, quelques semaines plus tard, à passer le concours d'entrée au CPR, le Centre pédagogique régional. Au terme d'une année de formation, les étudiants sont affectés comme professeurs de collège un peu partout à travers le pays. Sans que je le lui demande, Houda se lança dans une longue justification. Cela lui était égal de travailler au lycée ou au collège, pourvu qu'elle dispensât des cours de sciences naturelles. D'ailleurs, quelle différence existait-il au fond entre un professeur de lycée et son collègue de collège, à part les quelques centaines de dirhams au niveau du salaire ? Elle n'en voyait pas d'autre, elle ! Non, elle n'en voyait pas d'autre. En voyais-je, moi, de différence entre les deux catégories de professeurs ? Je portai un doigt sur ma tempe, réfléchis un moment. Non, je n'en voyais pas, à part effectivement les quelques centaines de dirhams au niveau du salaire. Je voulus tout de suite ajouter que, dans le milieu enseignant, le professeur de lycée avait plus de considération, plus de prestige que celui de collège, mais ayant réalisé que cela n'avait pas de réelle importance, je me ravisai. Et puis, je n'aimais pas contredire Houda, ni même la taquiner ; je l'aimais trop pour cela.

Houda prépara son dossier de candidature : une demi-douzaine de photocopies légalisées, des actes de naissance, des enveloppes timbrées, des photos d'identité… Je préparai aussi mon dossier avec, pour toute conviction, le grand amour que je portais à Houda.

Le concours allait avoir lieu au CPR de Safi, une ville que je n'avais jamais visitée auparavant. Au fait, combien de villes avais-je visitées ? Peu. Très peu. Trois ou quatre. Et maintenant que j'y pense, peut-être cinq. D'ailleurs, je ne sais même pas si, dans tous ces cas, l'on peut vraiment parler de visite, puisqu'il ne s'agissait à chaque fois que d'un déplacement de courte durée, et toujours dans des circonstances peu propices à une vraie visite de la ville : je partais le matin et rentrais le soir, ou le lendemain au plus tard. Non, je n'ai jamais fait de voyage au vrai sens du terme. Dans ma famille, comme sans doute dans toutes les familles de même condition, le voyage est un luxe que nous ne pouvons nous permettre. À vrai dire, nous n'en parlons même pas, étant depuis toujours au stade du besoin primaire.

La veille des épreuves, nous prîmes un autocar de la compagnie Chekkouri, un vieux Volvo aux flancs marqués de stigmates des nombreux coups et éraflures reçus au cours de sa longue carrière. Quarante dirhams le ticket, bien que dans la case « prix » il n'était mentionné que trente-cinq. Je fis la remarque au guichetier, un vilain louchon qui jouait à l'important derrière le verre crasseux de sa cabine. Il releva le menton, me toisa un moment de ses deux yeux bigles, une grimace dédaigneuse sur le museau :

« Tu n'as qu'à aller voir ailleurs, si tu n'es pas content ! me lança-t-il.

— Dans ce cas, c'est les policiers du poste que je vais voir ! lui dis-je sans la moindre certitude de passer à l'acte.

— Attends que je t'y accompagne ! répliqua le louchon en repoussant son siège d'un coup de rein, prêt à s'éjecter de sa cabine. Sur les cinq dirhams que tu réclames, trois finissent dans la poche de tes policiers du poste, justement ! »

Des rires railleurs éclatèrent derrière moi. Je voulus lui répondre pour sauver la face, mais comme rien ne me venait à l'esprit, je finis par me taire, honteux et confus.

« Alors, on va les voir, tes policiers du poste ? » me demanda le louchon sur un ton de bravade insolente.

Houda intervint : elle me saisit par le bras et me traîna loin des badauds. Je me laissai faire, non sans soulagement.

Dix minutes plus tard, nous prîmes place dans le vieux Volvo de Chekkouri.

Les deux tiers des passagers de l'autocar étaient des étudiants. Durant tout le trajet, ils révisaient leurs cours ou lisaient quelque livre, l'air concentré et grave. Houda elle aussi révisait ; elle avait emporté un porte-documents chargé des cours reçus à la faculté, de troisième et quatrième années surtout. De temps à autre, je jetais un regard oblique sur ses feuillets, lisais une ligne ou deux avant de m'en détourner pour contempler l'immensité aride et rocailleuse s'étendant à perte de vue de chaque côté de la route.

C'était le début de l'après-midi. Le soleil avait retroussé ses manches et tapait de toutes ses forces sur le toit métallique de l'autocar. Par moment, d'âcres relents de mazout brûlé montaient du moteur, empuantissant l'air. Certains passagers ouvrirent les fenêtres de secours pour aérer ; d'autres protestèrent aussitôt, arguant que l'air frais les rendait malades. Notre voisin de droite, un quadragénaire précocement édenté, avec une tête décharnée, couleur de bois ancien, fut le premier à s'opposer à l'aération : dès qu'un passager tentait d'ouvrir une vitre, il se redressait d'un bond et protestait avec véhémence. Je profitai d'un moment où il s'était incidemment tourné vers moi et lui dis que la puanteur du mazout brûlé était très dangereuse pour la santé.

« Pas autant que l'brouda, mon frère ! répliqua-t-il, hochant la tête de droite à gauche, fermement convaincu. Il n'y a rien de plus dangereux pour la santé que l'brouda, mon frère ! Une calamité, que le Très-Haut en préserve tout musulman ! »

Pour étayer son opinion, il me cita, dans un arabe classique approximatif, un hadith considérant le froid comme la cause de tous nos maux de santé, grands et petits. Il me raconta ensuite la triste histoire de son propre cousin, un certain Abdennebi, potier de profession. Abdennebi travaillait dans son petit atelier de Bab Cheâba, portes et fenêtres ouvertes, car, disait-il, il y faisait très chaud. Il étouffait ! Au bout de quelques années de travail dans les sournois courants d'air venus de l'océan, l'imprudent Abdennebi avait chopé l'brouda.

« Qu'est-ce qu'il avait exactement ? » lui demandai-je, feignant l'intérêt.

Mon voisin balaya son bas-ventre de la main droite et cligna de l'œil. Comme je demeurai interdit, il se pencha sur mon oreille et y acheva l'allusion :

« Il ne redresse plus sa tente !

— Ah !

— Eh oui ! Rien que ça… ! Et tu sais quoi, mon frère ? Il n'a que trente-cinq ans, le malheureux Abdennebi ! Sa femme, elle, en a dix de moins… Encore jeune ! Et encore fraîche ! Et encore pleine de désir ! Chaque fois que je la vois, je me dis : "Quel gâchis ! Une femme pareille qui se retrouve chaque soir au pieu avec un époux hors service, mais vraiment quel gâchis !"

— Effectivement, c'est un gâchis ! admis-je. Mais pourquoi n'a-t-il pas été voir un médecin ? ajoutai-je après un silence.

— Quel médecin ? fit mon voisin, une moue incrédule tirant vers le rictus.

— Un… Un… Un spécialiste de la chose.

— Répare-t-on jamais une gaule cassée ? »

Je reconnus que non. Mon voisin esquissa un sourire édenté, content de m'avoir convaincu. De la poche avant de son blouson, il tira une vieille boîte de Doliprane, l'ouvrit, versa avec précaution une pincée de tabac à priser sur le côté de sa main gauche, en renifla bruyamment une part par la narine droite, le reste par la narine gauche.

« Tu n'es pas de Safi à ce que je vois, mon frère ? me demanda-t-il après avoir rangé la boîte.

— Non, je suis de Marrakech.

— Marrakech la Rose ! fit-il avec une certaine admiration dans l'air.

— Pour une petite minorité, oui ; pour le reste, elle est plutôt noire.

— Et tu fais quoi dans la vie, mon frère ?

— Rien… Rien, pour le moment.

— Tu as sans doute fait des études ?

— Oui, j'en ai fait… Mais je n'ai pas trouvé de travail…

— Comme ce filou de Rachid, il y a quelques années.

— Qui c'est ?

— Le fils de Bouchta, mon voisin. Il y a cinq, six ans, le filou se trouvait exactement dans la même situation que toi aujourd'hui. Il… »

Mon voisin interrompit soudain sa phrase et se redressa :

« Arrête, mon frère ! cria-t-il à l'intention d'un étudiant qui s'apprêtait à ouvrir une fenêtre de secours à l'avant de l'autocar. Surtout, n'ouvre pas ! »

L'étudiant se tourna vers mon voisin :

« Et pourquoi ? protesta-t-il ; c'est interdit d'ouvrir les fenêtres ?

— Ça devrait l'être ! riposta mon voisin. Réfléchis un instant, mon frère : en ce moment, nous sommes trempés de sueur ; si tu ouvres cette fenêtre, nous choperons tous l'brouda, toi en premier lieu !

— Mais nous manquons d'oxygène, soutint l'étudiant. Et c'est dangereux pour la santé !

— Pas autant que l'brouda ! répondit mon voisin. Il n'y a pas plus dangereux pour la santé d'un homme que l'brouda ! Par Allah le Très-Haut que si je te raconte l'histoire de mon cousin Abdennebi avec l'brouda, tu n'ouvriras plus jamais de fenêtre nulle part !

— Monsieur a tout à fait raison ! intervint un nouvel opposant à l'aération de l'autocar, un gringalet vêtu d'une veste bon marché qui avait sûrement dû avoir une vie antérieure bien meilleure. L'brouda est le pire ennemi de l'homme !

— Le grand messager, prière et salut sur lui, renchérit un troisième opposant à l'aération, nous recommande dans un hadith certifié de nous préparer à l'brouda comme on se prépare à la guerre !

— Dites-moi : à quoi servent ces fenêtres, alors ? s'écria l'étudiant. À quoi servent ces fenêtres ? »

Comme personne ne répondait à son interrogation, il tendit à nouveau le bras vers la fenêtre pour l'ouvrir ; les anti-aération, une demi-douzaine à présent, parmi lesquels une candidate au concours triplement voilée, se redressèrent de concert, protestant et gesticulant avec véhémence. L'étudiant se retourna, toisa les protestataires un par un, une moue dédaigneuse sur la figure. Arrivé au dernier, il claqua de la langue et écarta les bras dans un signe de résignation ou de désespoir :

« Il n'est pas étonnant que vous restiez à la traîne des peuples de ce monde ! » fit-il en se rasseyant.

Assuré que la fenêtre ne serait pas ouverte de sitôt, mon voisin regagna sa place :

« Pardon, mon frère, me dit-il, mais de quoi causions-nous ?

— D'un certain Rachid.

— Oui, je disais que puisque tu as fait des études, pourquoi tu ne fais pas comme ce filou de Rachid, justement ?

— Qu'est-ce qu'il a fait ?

— Il y a quelques années, Rachid se trouvait exactement dans la même situation que toi aujourd'hui, mon frère : il a fait des études supérieures, passé une dizaine de concours et autant de stages, participé à des manifestations, à des sit-in devant le Parlement, devant la primature… Il a même fait une grève de la faim sur le perron du ministère du Travail… Puis un jour, il laisse tomber tout ça et rentre chez lui, à Safi.

— Alors ?

— De retour à Safi, il fonde une association !

— Une association de quoi ?

— Il a appelé ça : « Association Tighaline pour le Développement et la Protection de l'Environnement. Depuis, finie la misère ! »

Comme je restais interdit, mon voisin décida d'être plus explicite :

« Depuis la création de son association, Rachid reçoit de l'argent de l'étranger, des sommes faramineuses pour, soi-disant, la financer. En l'espace de deux années, le filou a fait fortune ! Tu le verrais aujourd'hui : tu dirais un homme d'affaires, avec un appartement à la Ville Nouvelle, la voiture flambant neuf, le porte-documents, le portable dernier cri, la bedaine… Bref, un homme d'affaires, quoi !

— Effectivement, admis-je, c'en est un.

— Pourquoi tu ne fais pas comme ce filou de Rachid ? Monte, toi aussi, une association bidon ! Baptise-la, par exemple : « Association pour la Sauvegarde du Patrimoine architectural de Marrakech », ou « Association de Lutte contre le Travail des Enfants », ou alors, un truc dont on nous rebat sans cesse les oreilles ces derniers temps, « Association contre la Déperdition scolaire dans les Milieux défavorisés », ou, encore plus touchant, « Association pour l'Insertion des Handicapés dans la Vie active »… Je te jure, mon frère, si ce n'était mon ignorance du français, j'aurais déjà créé ma propre association et lui aurais donné un nom d'enfer ! J'en aurais même créé deux ou trois, dispersées un peu partout dans Safi et sa région. Manque de pot, je ne parle pas français… Et quand on ne parle pas français dans ce pays, on ne peut rien entreprendre – en tout cas rien d'intéressant. Toi, par contre, tu peux en créer, des associations ! Tu dois bien parler français, n'est-ce pas ?

— Oui, assez bien.

— Qu'est-ce que tu attends donc, mon frère ? Vas-y ! Monte ton association ! Tu m'en donneras des nouvelles.

— Je n'y manquerai pas ! lui promis-je.

— Un dernier conseil, mon frère !
— Oui…
— Quand tu auras créé ton association, arrange-toi pour en être le président à vie, comme ce filou de Rachid… Sinon, au premier conseil d'administration, tes collaborateurs se ligueront pour t'évincer de là. Eh oui, les Marocains sont comme ça, mon frère : ils n'aiment pas les chefs, même s'ils leur font tout le temps courbettes et baisemains. »

Mon voisin replongea la main dans la poche avant de son blouson, en retira de nouveau la vieille boîte de Doliprane. Au même moment, l'autocar entra dans la gare routière de Safi. Une légère brise marine nous accueillit à la descente : elle était iodée et tonifiante. Par moments, elle sentait même légèrement la sardine. Sans savoir pourquoi, je cherchai un instant des yeux l'étudiant qui avait voulu aérer l'autocar : aucune trace de lui. Peut-être avait-il déjà quitté les lieux.

Houda connaissait un peu Safi ; elle y était venue à trois ou quatre reprises du temps où Nadia, sa cousine, y habitait. C'était au début des années quatre-vingt-dix. Nadia avait épousé un petit fonctionnaire à la municipalité de la ville, un certain Abdelkader Bouguedra, originaire de Sebt Gzoula. Au bout de cinq années d'une vie commune sans histoires, Nadia découvrit un jour que son mari aimait aussi les garçons. Le choc fut si violent que leur mariage tomba aussitôt en poussière. Ils se séparèrent le jour même, avec pertes et fracas. La jeune femme rentra chez ses parents à Marrakech, emmenant dans ses bagages deux enfants en bas âge et un troisième dans le ventre.

Nous mangeâmes dans un petit restaurant populaire : des sardines grillées, bien sûr, et du thé à la menthe sucré à vomir, le tout servi sur une nappe crasseuse, entaillée de coups de canif. Le fronton de la gargote portait la curieuse appellation : « Snack des trois pécheurs », en français. Je demandai au tenancier-cuisinier-serveur s'il savait le sens du mot pécheur. Il posa sa spatule au bord de la poêle à frire et fit le geste du pêcheur tenant sa canne.

« C'est bien ça ? me demanda-t-il.

— Oui, c'est à peu près ça ! répondis-je.

— Bien qu'analphabète, je comprends assez bien le français ! ajouta-t-il avec une certaine fierté. Et même, tiens-toi bien, quelques mots en anglais : *how ware you, thank you, fuck you...* »

Nous partîmes ensuite faire un tour et prîmes le boulevard de Rabat, principale artère de la ville, très animé en cette fin d'après-midi. Comme dans toutes les rues commerçantes du pays, les femmes se baladaient, faisaient du lèche-vitrines ; les hommes, assis à la terrasse des cafés, lorgnaient leurs jambes, rivalisant de commentaires graveleux.

Houda me fit faire une visite guidée de la ville : la vieille cité et ses maisonnettes en pierre taillée plusieurs fois séculaires, le quartier aux potiers, la Tour portugaise, le marché aux puces, métaphoriquement surnommé Souk Elâfarites, le souk des génies malfaisants.

« Dans ce souk, me dit Houda, je connais un commerçant. Viens, on va lui dire bonjour ! »

Elle me conduisit dans un grand magasin de meubles d'occasion. Nous y entrâmes à travers un vestibule le long duquel étaient entassés des banquettes en bois rouge vernissé, des lits en fer forgé, des tapis... Dans une espèce de cour à ciel ouvert, un homme en jean et tee-shirt noir était en train d'émietter un morceau de pain pour une dizaine de pigeons.

Un peu plus loin, un jeune commis rangeait des matelas. Au moment où il aperçut Houda, l'homme lâcha le morceau de pain sur le sol et accourut vers elle.

« Bon sang, mais c'est Houda ! s'écria-t-il, le visage barré d'un grand sourire. Cela fait un bail, Houda ! »

Il lui fit la bise, et à moi aussi.

« C'est vrai, admit Houda, cela fait longtemps… Ali…, Saïd…, ajouta-t-elle en guise de présentation. Ali est originaire de Tahennaoute, le village natal de mes parents.

— Justement, comment vont-ils, tes parents ?

— Ça va… Ils te passent le bonjour. »

Ali nous introduisit à l'intérieur du magasin, nous offrit des sièges.

« Je suis heureux de te revoir, Houda !

— Moi aussi !

— Qu'est-ce que vous voulez boire ?

— Ne te dérange pas, Ali, lui dit-elle. Je suis juste venue te voir et te transmettre le bonjour de mes parents.

— D'accord, mais ça ne vous empêche pas de boire quelque chose. »

Il héla le jeune commis :

« Va nous chercher une grande théière et des amuse-gueule ! »

Ali était un petit homme qui ne payait pas de mine, le teint brun, les cheveux noirs et lisses, rares sur le devant, le visage orné d'une petite moustache, les lèvres et les dents noircies par la cigarette, le ventre légèrement rebondi – quarante-quatre, quarante-six ans tout au plus.

Ali était le genre d'homme dont le fond s'annonce de prime abord : à la première rencontre, on est certain qu'il ne peut être qu'un homme bon – sincèrement et foncièrement bon. Tout en lui respirait la bonté et la générosité : son regard, sa voix, ses paroles, ses gestes. Il nous servit du thé à la menthe avec, en guise d'amuse-gueule, un mélange d'amandes, de cacahuètes et de pistaches grillées. Afin d'alimenter la conversation, je lui demandai si son commerce allait bien.

« Des fois, ça va bien ; d'autres fois, moins bien. Il y a des périodes de l'année où les gens viennent surtout pour revendre leurs meubles parce qu'ils ont besoin d'argent : à l'approche de la fête du mouton, à la rentrée scolaire… Les déménagements et les divorces sont aussi pour nous l'occasion de racheter beaucoup. Le printemps et l'été sont plutôt des périodes de revente, et c'est durant ces deux saisons que nous réalisons – enfin nous, je veux dire mon patron (d'un coup de menton, Ali indiqua un grand gaillard, un peu plus âgé que lui, étendu sur une natte au fond du magasin, sa pipette de kif entre les mains, l'air dans les vapes) réalise son meilleur chiffre d'affaires… Et vous alors, c'est pour des vacances que vous êtes à Safi ?

— Plutôt pour le travail ! répondit Houda.

— Vous venez travailler à Safi ?

— Pour l'instant, nous venons y passer un concours.

— Un concours à Safi ? fit Ali, surpris. Mais quel concours ?

— Celui d'entrée au CPR

— Le CPR ? C'est-à-dire chez Moulay Driss Rami ?

— Qui est-ce ? demanda Houda.

— Moulay Driss Rami est le directeur du CPR. Je le connais bien. Il vient de temps en temps au magasin, à la recherche de pièces rares. Moulay Driss collectionne les vieux ustensiles de cuisine : théières, couverts, bouilloires, écuelles, gamelles… C'est sa passion ! Il en a une autre, de passion, mais beaucoup moins noble… Oui, oui, je connais bien Moulay Driss. Il était au magasin il y a deux ou trois jours. Veux-tu que je lui parle ?

— De quoi ?

— Du concours, bien sûr ! Pour qu'il intervienne.

— Merci beaucoup, Ali, mais ce n'est pas la peine ! répondit Houda, gênée et confuse. Nous nous sommes bien préparés, Saïd et moi, et nous espérons le réussir par notre seul travail.

— Tu crois que vous l'aurez avec votre seul travail ?

— J'espère bien…

— Vous ne l'aurez pas, Houda ! décréta Ali, catégorique. Vous ne l'aurez pas. Ici, rien ne s'obtient sans un bon coup de piston ou un dessous-de-table bien gras ! C'est comme ça que ça marche à Safi, et seulement comme ça… C'est aussi, me semble-t-il, comme ça que ça marche à Casa, à Rabat, à Fès, à Meknès, à Agadir, à Tanger et dans toutes les autres villes de ce royaume béni. »

Houda lui promit de réfléchir à sa proposition, sans doute moins par conviction que par envie de clore le sujet.

« Je connais bien Moulay Driss, repartit Ali ; si je lui demande un petit service, il ne me le refusera pas. À la rigueur, je lui offrirai une petite ferraille en fer blanc ou une vieille assiette en porcelaine chinoise, et le tour sera joué. »

Ali nous proposa de nous prêter son studio, le temps du concours. Il en avait un en face de la gare ferroviaire, à seulement deux, trois cents mètres du souk. Il serait vraiment content de nous le prêter.

« Une autre fois, cher Ali ! répondit Houda. Cette fois-ci, nous serons hébergés par une amie dans la vieille ville… Mais la prochaine fois, ce ne sera pas de refus. »

À ce moment-là, deux clients pénétrèrent dans le magasin, un jeune couple apparemment. La femme se mit à tâter un matelas deux places encore en assez bon état. Nous prîmes congé d'Ali.

« N'hésitez pas à venir me voir, réitéra-t-il, si vous avez changé d'avis pour le concours ! Je connais bien Moulay Driss… »

Houda reprit la visite guidée de la ville. Après le souk des génies malfaisants, elle me conduisit à la corniche rongée par les vagues, au port de pêche, au marché au poisson, aux conserveries en ruine, au cimetière juif… Safi est une ville laissée à l'abandon : sale, pauvre, très pauvre, malgré l'implantation depuis un demi-siècle des plus grandes usines de phosphate au pays. Ses rues pullulent de mendiants, de malades mentaux, de buveurs d'alcool à brûler, de renifleurs de colle… Tout un monde patibulaire et inquiétant qui fait régner en permanence un climat de malaise et d'insécurité sur la ville.

Au crépuscule, Houda me conduisit chez une famille à R'hat Rih (moulin à vent), un quartier bâti en amphithéâtre sur le flanc d'une colline. Les maisons toutes peintes en blanc regardaient la mer, tournant ainsi le dos aux infortunes du monde. La famille en question habitait une ruelle pisseuse et obscure. Houda s'arrêta, perplexe, devant la troisième porte à droite, regardant tour à tour le battant en bois massif, les murs, les fenêtres… Enfin, elle se décida, leva le heurtoir en cuivre jaune et le laissa choir. Une femme vêtue à l'ancienne, avec foulard, caftan ample et saroual blanc, apparut dans l'embrasure. Houda se présenta. La bonne femme la regarda, l'air de quelqu'un qui arpente sa mémoire à la recherche d'un souvenir. Quatre ou cinq secondes ainsi, puis elle écarta les bras en signe de bienvenue :

« Mais c'est Houda ! fit-elle, agréablement surprise. Bien sûr que c'est Houda, la cousine de Nadia ! Cela fait des lustres, ma belle ! »

Les deux femmes s'enlacèrent, s'embrassèrent à plusieurs reprises. Houda l'appelait tante Hadda. En réalité, la bonne femme n'était que la voisine de Nadia, sa cousine, du temps où elle habitait encore Safi. L'accueil fut sincère et chaleureux, comme c'est souvent le cas dans les familles démunies du pays. Un garçon et une fille d'à peu près une vingtaine d'années vinrent nous saluer. C'était, me dit Hadda en guise de présentation, ses deux derniers ; les autres s'étaient éparpillés de par la terre à la recherche de leur pain et celui de leurs enfants... Revenaient-ils la voir de temps en temps ? Les filles, oui, de temps en temps, l'aînée surtout. Les garçons (elle détourna légèrement les yeux, poussa un soupir)... Eh bien, les garçons... Que dirait-elle des garçons ? Les mots lui manquaient toujours quand elle voulait parler de ses garçons ! Qu'Allah ramenât Ses créatures sur le droit chemin ! C'était tout ce qu'elle pouvait dire de ses garçons. Qu'Allah ramenât Ses créatures sur le droit chemin !

Un silence se fit, lourd et gênant. Le visage de Hadda s'enténébra, ses yeux se voilèrent. Elle soupira de nouveau, essuya furtivement une larme dans la manche de son caftan… Nous n'en saurions pas plus sur ses garçons.

Le lendemain matin, nous prîmes congé de nos hôtes et nous rendîmes en taxi au CPR de la ville, chez Moulay Driss Rami, comme dirait Ali le brocanteur.

Comme à l'ENS de Marrakech, une marée humaine grouillait à l'entrée de l'établissement. Nous nous arrêtâmes un peu plus loin, les yeux fixant la fourmillière, stupéfaits.

« Il y a ici six cents candidats au plus bas mot ! dis-je à Houda.

— Et vous n'avez encore rien vu ! » ajouta une voix qui nous sembla familière.

Je me retournai : c'était Younès ! De le voir là, près de nous, nous donna soudain le sentiment réconfortant d'être moins seuls.

« Tous les établissements scolaires de Safi sont réquisitionnés pour le concours ! enchaîna-t-il. Le total des candidats frôle les dix mille, alors que le CPR ne compte en recruter qu'une quarantaine.

— Mais alors, pourquoi font-ils venir tant de monde ? lui demanda Houda.

— Par souci d'égalité des chances ! ironisa Younès. Non, ajouta-t-il sur un ton plus sérieux, personne n'est dupe aujourd'hui : les concours organisés à Safi, à Essaouira, à El-Jadida ou encore à Ouarzazate sont avant tout un moyen de faire tourner l'économie au bord de l'asphyxie de ces petites villes pauvres et marginalisées. Figurez-vous qu'hier soir, tous les hôtels de Safi affichaient complet ! Le camping aussi. Les snacks et les gargotes ont été littéralement pris d'assaut, et il n'y avait plus une miette de pain dans les boulangeries de la ville. »

Et Younès de nous raconter par le menu ses déboires de la veille. N'ayant trouvé ni bus ni taxi, il avait fait le voyage Marrakech-Safi debout sur la plate-forme d'un vieux camion transportant des poulets aux hormones. Tous les trente kilomètres, il y avait un barrage de gendarmes-racketteurs ; le chauffeur perdait chaque fois dix minutes à négocier le montant de la rançon du passage... À une dizaine de kilomètres de Chemmaîya, le tacot tomba doublement en panne : une courroie de transmission rompue et un problème dans le disque d'embrayage. Il a fallu une heure et demie pour faire venir un mécanicien de Chemmaîya, et tout le reste de l'après-midi pour la réparation. Le tacot n'avait finalement repris la route qu'à la tombée de la nuit. Quelques kilomètres plus loin, crevaison ; le camionneur avait bien un pneu de secours et une torche, mais pas de cric. Il lui fallut en emprunter un à quelque usager de la route qui voulut bien lui rendre ce service… Ils perdirent encore une demi-heure avant d'en trouver un, puis une autre demi-heure pour changer le pneu… Finalement, ils n'arrivèrent à destination qu'à vingt-trois heures passées, alors que les rues de la ville se vidaient, que les magasins baissaient leurs rideaux. Éreinté, la tête en proie à la migraine, le moral au plus bas, il n'aspirait plus qu'à dormir, mais où ? Tous les hôtels de la ville affichaient complet. Au camping, le gardien lui apprit que, pour dormir, il devait être équipé d'une tente. Pouvait-il en louer une sur place ? Non, l'établissement n'en louait pas ; d'ailleurs, il n'en avait pas. Il rebroussa alors chemin, chercha une maison d'hôtes, un foyer, une auberge, bref, un toit… Comme il ne trouvait rien, il se rendit à la gare routière avec l'espoir de trouver un banc sur lequel étendre son corps lessivé. Peine perdue : des centaines de candidats au concours squattaient tout le hall ; certains faisaient les cent pas en attendant le lever du jour ; d'autres, assis à même le sol, révisaient leurs cours sous la lumière blafarde des néons ; quelques-uns dormaient sur des cartons d'emballage récupérés dans les poubelles des quartiers voisins de la gare… Vers une heure du matin, accablé de fatigue et de sommeil, il s'écroula sur le sol et ferma les paupières. Deux ou trois heures plus tard, il se réveilla, la tête lourde, la jambe droite ankylosée, le reste du corps tout courbaturé…

Je connais Younès depuis l'école primaire ; ce matin-là, devant le CPR de Safi, j'avais du mal à le reconnaître : c'était un pauvre hère tout débraillé, les cheveux ébouriffés, la mine terreuse, les yeux cernés, le regard brouillé. En outre, il boitait de la jambe droite et puait le poulet de batterie. Je voulus lui dire quelque chose pour soulager sa peine, lui remonter quelque peu le moral, mais les mots me manquaient. Face aux infortunes de mes proches et de mes amis, j'ai toujours du mal à trouver mes mots. Younès contemplait tristement la marée humaine grouillant à l'entrée du CPR ; toutes les quatre ou cinq secondes, il bâillait de sommeil et de fatigue. Houda, elle, parcourait des yeux ses cours, ou peut-être faisait-elle semblant.

À huit heures, les battants du portail s'écartèrent : une énorme vague humaine déferla sur la cour de l'école, comme un torrent à la levée de l'écluse.

« Allons-y ! » nous dit Houda.

Nous avançâmes vers l'entrée. Younès traînait le pas derrière nous, le dos courbé, la mine contrainte et morne, l'air d'un soldat qui s'en va faire une guerre à laquelle il ne croit point. Un instant, il s'arrêta carrément.

« Qu'est-ce qu'il y a, Younès ? lui demandai-je. Pourquoi tu t'arrêtes ?

— Je me demande ce que je fais ici ! me répondit-il.

— Tu fais comme nous, comme tout ce monde : tu viens tenter ta chance.

— C'est une mascarade, Saïd ! Tu vois bien que c'est une mascarade !

— Puisque nous sommes venus jusqu'ici...

— Tant pis : moi, je jette l'éponge ! »

Je me sentis soudain gagné par le découragement et le désespoir.

« Qu'est-ce qui se passe ? nous demanda Houda, inquiète. Pourquoi vous vous êtes subitement arrêtés ?

— Younès abandonne ! répondis-je.

— Mais non, Younès ! lui dit-elle sur un ton désapprobateur. Tu n'es pas venu jusqu'ici pour abandonner, voyons ! Ce n'est pas le moment d'abandonner, Younès ! »

Comme il ne répondait rien, Houda le saisit par le bras et le traîna doucement vers l'école. Younès se laissa faire, mais sans la moindre conviction.

Dans la cour, la marée humaine s'était agglutinée autour d'une rangée de tableaux portant les indications destinées à orienter les candidats vers les salles de passation. Houda nota nos numéros sur un bout de papier et s'en fut au pas de course en direction de la foule. Je voulais la décharger de cette pénible tâche, mais elle s'était déjà fondue dans la mêlée, jouant des coudes pour se frayer un passage vers les tableaux. En la regardant, j'eus un sentiment de honte.

Une dizaine de minutes plus tard, Houda revint, essoufflée et en nage. Elle déplia le bout de papier qu'elle tenait à la main : pour elle, c'était le bâtiment A, salle 12 ; pour moi, le bâtiment B, salle 7 et pour Younès, le bâtiment C, salle 9.

« Bonne chance, alors ! » nous dit-elle.

Et elle nous quitta. Je la suivis des yeux. Elle se dirigea vers le bâtiment A, avançant d'un pas léger. Le bâtiment A se situait sur l'aile droite de l'école. Je comptai les salles : il y en avait six au rez-de-chaussée et autant à l'étage, ce qui leur donnait un air de containers superposés. La salle 12 se situait probablement à l'étage, au fond du couloir. Houda emprunta l'escalier, monta les marches avec l'allure d'une écolière diligente et empressée. Au premier tournant, elle disparut. Je me retournai vers Younès : adossé au tronc d'un bigaradier aux feuilles poussiéreuses, il tirait sur sa cigarette et contemplait les volutes de sa fumée dans une espèce de sieste éveillée et songeuse. Toutes les vingt secondes, il bâillait à se décrocher la mâchoire.

« Bonne chance, Younès ! » lui dis-je.

Il se redressa tant bien que mal, s'étira, bâilla derechef.

« C'est quel bâtiment déjà pour moi ? me demanda-t-il.

— Bâtiment C, salle 9 !

— C9… C9…, murmurait-il en promenant nonchalamment son regard d'un bâtiment à l'autre. C9… Ça doit être par là, sans doute. »

D'une pichenette, il balança son mégot contre le bigaradier d'en face et s'en alla, boitant légèrement de la jambe droite, vers le bâtiment C.

L'épreuve commença à huit heures et demie. Deux questions largement à portée : la description du processus de formation d'une roche sédimentaire et une carte de géologie structurale à commenter – deux exercices faciles à faire, très faciles même, « une promenade de santé », me dira un ancien camarade de faculté rencontré dans la cour de l'école.

Pour tuer l'heure et demie réglementaire avant de quitter la salle d'examen, je me mis à gribouiller distraitement sur la feuille de papier vierge ; cela m'arrivait souvent en plein cours, et c'étaient à chaque fois les mêmes dessins informes et bizarres : des flèches tous azimuts, des courbes rompues, des yeux exorbités, des bouches tordues, des nez ébréchés, des lignes en pointillés, des lignes en tirets, des parenthèses à l'envers..., une toile surréaliste que je gribouillais tout en m'abandonnant à des rêveries décousues et vagues. Que signifiaient ces étranges griffonnages ? Avaient-ils au moins un sens ? Je ne sais.

À dix heures tapantes, je rendis ma copie au surveillant, un jeune homme avec une figure insignifiante et des lunettes en fond de bouteille. Il considéra un moment le gribouillage insensé sur la page, l'air pantois :

« C'est quoi ceci, mon frère ? me demanda-t-il.

— Un talisman ! » répondis-je en pivotant sur mes talons.

Younès m'avait devancé dans la cour. Assis sur l'épreuve du concours, il tirait sur sa cigarette et fixait quelque point vague à l'horizon.

« Ça s'est bien passé ? » lui demandai-je.

Il leva sur moi une mine bouffie, les cheveux hirsutes, les paupières enflées, l'air tout engourdi de quelqu'un que l'on vient d'extirper d'un sommeil profond :

« Et comment ! me dit-il en étouffant un bâillement. J'ai même fait un doux rêve !

— Un doux rêve ?

— Oui ! La salle était si calme et si fraîche que je me suis tout de suite endormi, la tête sur l'épreuve en guise d'oreiller. J'ai dormi jusqu'à ce que le surveillant me réveille parce que, me dit-il, je dérangeais les autres avec mes ronflements. Comme je me suis aussitôt rendormi, il m'a réveillé de nouveau et prié de quitter la salle. »

Houda nous rejoignit une heure plus tard. Elle était au comble de la joie.

« Alors ? lui demandai-je.

— Allah merci, j'ai bien répondu à toutes les questions ! Et vous ?

— Nous aussi, répondit Younès. Il nous faut tout de suite fêter ça ! » ajouta-t-il en se relevant.

Nous nous arrêtâmes dans une pâtisserie à la sortie du CPR. Younès nous paya un sandwich et une canette de soda chacun.

À quatorze heures, nous étions tous trois dans l'autocar qui nous ramenait à Marrakech, le même que pour l'aller : le vieux Volvo de la compagnie Chekkouri.

Le CPR de Safi afficha les résultats du concours une quinzaine de jours plus tard : Houda fut, sans surprise, parmi les tout premiers admis. Elle se mit immédiatement à préparer la phase orale avec l'application et le sérieux qui avaient toujours été les siens.

La veille des épreuves, je la raccompagnai à Safi. De nouveau, le Volvo déglingué et asthmatique de la compagnie Chekkouri, la grillade de sardines au snack des Trois pécheurs, la balade dans la vieille ville, la visite d'Ali le brocanteur, la nuit chez tante Hadda… Houda passa l'oral comme elle avait passé l'écrit, avec brio ; l'examinateur l'aurait même félicitée à la fin de l'épreuve.

Les résultats finals furent affichés le lendemain : Houda était dans la liste d'attente. Elle y restera.

Recalée à L'ENS, recalée au CPR, Houda se résigna à passer le concours d'entrée à l'École des infirmiers, renonçant ainsi au rêve le plus cher de sa vie : devenir professeur de sciences naturelles comme Naima Ayour.

Le concours aurait lieu à Casablanca. Houda me demanda de faire le voyage avec elle. J'acceptai de gaieté de cœur. Ne me l'eût-elle pas demandé, je l'aurais fait de ma propre initiative, la compagnie de Houda étant depuis toujours pour moi un immense plaisir.

Comme pour les deux concours précédents, Houda avait pris les choses très au sérieux : elle s'était procuré le programme des Écoles des infirmiers, l'avait lu jusqu'à la dernière lettre ; elle avait également étudié de près les épreuves des quatre ou cinq années précédentes, révisé ses cours de licence... Vraiment, ce serait une injustice criante si on ne la retenait pas.

Le concours arrivé, Houda réussit les épreuves écrites haut la main, et avec une note sans appel : dix-sept sur vingt ! À l'oral, elle fut de nouveau recalée. Cette fois-là, ce fut un moment pénible à vivre : je m'en souviens encore. J'étais avec Houda dans la téléboutique quand une voix de l'École des infirmiers vint lui annoncer la mauvaise nouvelle. Elle lâcha le combiné, vacilla sur ses jambes, comme si elle venait d'être assommée. J'intervins à la hâte, la soutins de mes deux bras et la traînai à l'extérieur de la cabine téléphonique. Elle fit deux ou trois pas chancelants puis s'affaissa sur le trottoir et se prit à pleurer comme un enfant, avec des sanglots qui lui secouaient la tête et les épaules. Une vive oppression me saisit à la poitrine, se propagea en ondes douloureuses dans le reste de mon corps. De voir mon aimée en larmes dans la rue me fendait le cœur. Je me sentais impuissant, je me sentais inutile, je me regardais comme un être de trop, un pauvre type, un objet encombrant et hors service.

Houda continuait à pleurer sans retenue ; des curieux s'étaient agglutinés autour de nous comme des mouches à merde : des hommes, des femmes, des enfants, une cinquantaine de badauds désœuvrés et oisifs. Ils étaient là à nous dévisager sans honte ni scrupule, s'interrogeant les uns les autres pour en savoir plus, faisant des commentaires, tantôt compatissants, tantôt railleurs... Je les priai poliment de vaquer à leurs occupations et de nous laisser tranquilles. Nul ne bougea de sa place. Je passai aux menaces puis aux injures, dévidant tout mon répertoire de grossièretés, donnai même quelques coups de pied en l'air... En vain. Je relevai enfin Houda et la traînai plus loin, la soutenant par la taille comme on fait pour les blessés de guerre qu'on évacue hors de la zone des combats. Quatre ou cinq badauds nous suivirent, fermement décidés à assouvir leur curiosité malsaine. L'un d'eux, sans doute le plus audacieux, s'approcha un peu trop près de moi. Je profitai d'un moment d'inattention et lui assenai un violent coup de pied aux fesses : il détala aussitôt, hurlant de douleur ; les autres lui emboîtèrent le pas. À Marrakech, pour se débarrasser de ces fâcheux-là, il n'y a rien de plus efficace qu'un bon coup de pied dans le derrière ou une paire de gifles bien sonore.

Nous reprîmes notre chemin. Houda s'était quelque peu ressaisie : elle avait cessé de pleurer, remis un peu d'ordre dans sa toilette... Arrivés sur l'esplanade de la Koutoubia, nous prîmes place sur l'un des bancs en fer forgé, plantés çà et là autour de la mosquée. Nous étions en fin d'après-midi. Le soleil cheminait vers l'horizon, couvrant les hauteurs des murs d'une légère teinte cuivrée. Les rues s'animaient. Les gens quittaient leurs maisonnettes de la Médina et s'en allaient dans les vastes rues de la Ville Nouvelle, une virée quotidienne qui les changeait un peu de l'exiguïté de leurs ruelles.

« Houda, lui dis-je après une longue préparation mentale, ni l'ENS ni le CPR ni l'École des infirmiers ne te méritent. »

Houda esquissa un sourire ému.

« Les concours..., ajoutai-je, déterminé à la consoler, les concours ne sont qu'un jeu de hasard, une loterie : la chance y joue plus que le travail, plus que l'intelligence, plus que tout autre chose. Si tu as de la chance, tu peux tomber sur un sujet que tu as bien préparé, puis sur un correcteur généreux, et le tour est joué. Bien entendu, les chanceux ne sont pas les seuls à réussir les concours ; il y a aussi les tricheurs, qui parviennent à tromper la vigilance du surveillant – à supposer que celui-ci soit vigilant ! Il y a aussi les pistonnés qui passent le concours juste pour la forme, leur admission étant garantie d'avance... D'ailleurs, il n'est pas du tout sûr que les milliers de copies amassées à la fin des concours soient toutes corrigées. Quand bien même les organisateurs voudraient le faire, ils n'y arriveraient pas.

— Ce que je ne supporte pas, me dit Houda, c'est moins les résultats négatifs que le sentiment d'injustice qu'ils déclenchent chaque fois en moi. Je ne comprends pas pourquoi, après avoir brillamment réussi aux épreuves écrites, je suis systématiquement recalée à l'oral. »

Moi non plus je ne comprenais pas, mais que lui répondre ? Tous les jours que Dieu fait, des milliers de citoyens de par le pays éprouvent ce sentiment d'injustice. La corruption bat son plein, le népotisme régit tous les rapports, la justice est ouvertement au service du plus offrant, les partis politiques, toutes tendances confondues, sont de farouches partisans du *statu quo*, les syndicats ont vendu leur âme au diable, les écrivains et les poètes n'ont pas droit au chapitre, les riches se permettent tout, les pauvres désespèrent de tout, les jeunes n'aspirent qu'à émigrer : le pays entier fonce droit dans le mur.

Le soleil avait à présent complètement disparu à l'horizon ; le ciel de Marrakech prit une couleur noirâtre, les lampadaires de l'esplanade s'allumèrent, le minaret de la Koutoubia s'éclaira de ses mille feux.

Houda me confia une autre de ses peines : son père, gardien d'un immeuble à Guéliz, venait de perdre son travail suite à une querelle avec le nouveau syndic. Étant l'aînée d'une fratrie de trois garçons et autant de filles, elle s'était brusquement sentie en devoir de travailler pour assurer la relève et sauver ainsi les siens d'une misère certaine.

Bien qu'issu d'une famille pauvre, je ne me trouvais pas dans une situation aussi difficile que celle de Houda. Mon père était ouvrier babouchier. Depuis deux décennies, il travaillait pour un patron, l'Hadj L'mestari, éternel prévôt des babouchiers et grand propriétaire terrien. Son gain, quoique modeste, lui permettait de nous faire vivre décemment, ma mère, mes quatre sœurs et moi.

Aîné et fils unique, j'étais adoré par mon père : il satisfaisait tous mes caprices d'enfant choyé, et ce toujours de bon cœur et toujours avec le sourire. En vingt-six années de vie, il n'a jamais levé la main sur moi. Je ne me souviens pas non plus l'avoir vu un jour me prendre à partie. Quand je faisais une bêtise, ce qui m'arrivait de temps en temps, il se contentait de me décocher un regard réprobateur, sans un geste, sans un mot déplacés. Un quart d'heure plus tard, il me souriait déjà de son sourire affectueux.

Tous les vendredis, jour de sa paie, mon père me glissait dans la main quelques dirhams qui allaient augmentant à mesure que j'avançais en âge. À vingt-six ans, mon pécule s'élevait à soixante dirhams, autant dire une jolie obole pour le fils d'un ouvrier babouchier.

Mon père avait beau m'adorer, je n'en profitais pas pour autant, du moins depuis que j'avais compris tout le mal qu'il se donnait pour nous nourrir. Comme Houda, je voulais avoir un travail pour l'épauler un peu ; mais, contrairement à Houda, je n'avais guère d'espoir d'en dénicher un dans la fonction publique ; je savais que les possibilités y sont rares, et souvent monnayables. Le secteur privé, lui, obéit encore au népotisme tribal : on y embauche d'abord la famille, puis les proches, puis les proches des proches… Il n'y a que les emplois dégradants et mal rémunérés que l'on donne aux autres – quand on les leur donne.

La saison des concours s'acheva fin septembre et, avec elle, l'espoir de tous les diplômés chômeurs de dénicher un travail dans la fonction publique. Ils devaient à présent attendre l'année suivante pour pouvoir tenter de nouveau leur chance ; d'ici là, il leur faudrait trouver un moyen de tuer huit mois, huit longs mois, faits d'ennui et de gêne. Ceux de Rabat en ont trouvé un : manifester tous les jours devant la Chambre des représentants, jouant au chat et à la souris avec les forces de l'ordre.

Pour Houda, la situation était encore plus compliquée, l'hiver s'approchant et son père n'ayant toujours pas retrouvé du travail. Cela faisait pourtant deux mois qu'il en cherchait, sillonnant les rues de la Ville Nouvelle avec sa vieille bicyclette, allant d'un immeuble à un autre, d'une résidence à une autre, demandant en vain si l'on avait besoin d'un gardien... Pendant ce temps, la situation financière de la famille se dégradait de jour en jour.

Un après-midi de la mi-novembre, je retrouvai Houda affligée et malheureuse comme jamais auparavant. Elle avait le teint plombé, les traits tirés, les paupières battues, les yeux élargis d'une malade. Elle était avec sa sœur Souad, la benjamine de la famille, une petite brune avec de beaux cheveux noirs et de grands yeux intelligents. Qu'avait-elle ? Pourquoi était-elle si malheureuse... ? Pour toute réponse, Houda éclata en larmes. Je la priai d'épancher son cœur. Elle continuait de pleurer. La petite Souad intervint :

« C'est parce qu'un homme coiffé d'une grosse casquette bleue a démonté hier notre compteur d'électricité ! »

Une vague de sang chaud me submergea ; ma peau se hérissa, mon corps se tendit comme un arc bandé à fond, ma gorge se serra... Un instant, je me sentis prêt à tout pour tirer d'embarras mon aimée : à voler, à vendre mes organes vitaux, voire à tuer !

Alors que je réfléchissais à la manière, sans doute répréhensible, avec laquelle je pourrais mettre la main sur une somme assez conséquente, l'image de Younès passa dans mon esprit.

« Et si je consultais Younès, me dis-je, il me donnera sans doute un bon conseil, fin connaisseur de la vie qu'il est... »

Sans plus tarder, je courus chez lui.

Younès travaillait depuis deux mois au Caravane Chems, un riad récemment transformé en maison d'hôtes par son nouveau propriétaire français. Mon ami était le garçon à tout faire de l'établissement : il s'occupait des clients, du service, des courses... Deux mille dirhams par mois. À peine l'eus-je mis au courant de la pénible situation dans laquelle se trouvait Houda que Younès sortit son portefeuille et en tira deux billets bleus :

« Tiens ! me dit-il. Ceci pour régler les factures d'électricité impayées. »

Mais l'obligeance de mon ami ne s'arrêta pas à ces deux billets ; le lendemain, il me téléphona sur mon portable pour m'annoncer une heureuse nouvelle : il venait de trouver du travail pour Houda et moi au Caravane Chems !

Riad Caravane Chems. Jamais je n'avais imaginé un instant que ce serait dans cette demeure deux fois séculaires que ma vie prendrait ce chemin tout à fait imprévisible !

Le Caravane Chems se situe dans le quartier Sidi Youb, au fond d'une impasse portant le nom de Lemrid Lekbir, le Grand Malade. D'où vient ce curieux nom ? Les anciens du quartier racontent qu'un malade avait effectivement habité là toute sa vie. Atteint d'une pathologie des os rare et bizarre, il ne pouvait marcher ni se tenir debout, ni même s'asseoir, écoulant ainsi ses jours et nuits étendu dans sa couche comme un bébé, un éternel bébé. Un matin pourtant, le Grand Malade se dressa subitement sur ses pieds, frais et dispos comme un adolescent. Alors que ses proches criaient au miracle, l'homme quitta sa masure et s'en fut d'un pas pressé à travers la ruelle. Des curieux du quartier le suivirent, susurrant des versets pour conjurer le mauvais sort. Indifférent, le Grand Malade poursuivit sa vadrouille à travers la Médina, allant d'un quartier à l'autre, d'une ruelle à l'autre, d'un souk à l'autre, sans jamais la moindre hésitation, comme s'il avait toujours fréquenté ces endroits. Sa promenade dura trois ou quatre heures. De retour chez lui, il regagna sa couche et y rendit l'âme quelques minutes plus tard. Le Grand Malade venait de clore ses soixante hivers.

De l'extérieur, Caravane Chems ne payait pas de mine : une modeste demeure, comme on en trouve dans toutes les ruelles de la Médina. Le revêtement de la façade se détachait et tombait en écailles, les fenêtres étaient en bois mal raboté ; la porte en thuya massif, un peu de guingois, était ornée de clous de forgeron et d'un heurtoir en forme de marteau.

Dès le seuil franchi, le visiteur était littéralement subjugué : l'humble petite porte en thuya dissimulait derrière elle un majestueux édifice, une merveille d'architecture et d'ornementation. Carrelage mural, mosaïques, stuc, gravures, ébénisterie, calligraphie, jardinage… tous les arts de la décoration artisanale y figuraient dans un heureux assortiment de proportions et de couleurs. Les touristes occidentaux qui débarquaient là pour la première fois promenaient leurs regards d'un bout à l'autre de l'édifice, frappés d'étonnement et d'admiration. Les alcôves aux mille secrets leur réservaient bien d'autres heureuses surprises : murs recouverts avec de la peinture cirée, communément appelée tadellakte, plafonds en plâtre ouvragé, cernés d'une large bande portant des motifs labyrinthiques ou de la calligraphie arabe, boiseries travaillées avec science et patience, stucs d'un brillant éblouissant, lustres en fer forgé, tapis de laine écrue aux motifs champêtres, larges sofas en bois de caroubier, divans en noyer nacré, coussins de toutes les formes et de toutes les couleurs, magnifiques services à thé en argent pur, immenses samovars en cuivre ouvragé, chandeliers à sept branches aux cierges fleurant l'eau de rose, brûle-parfums en terre cuite fumant la myrrhe et l'encens de La Mecque, céramiques de Safi, poteries de Fès…

Dans ces alcôves au passé chargé de plaisirs licencieux, d'intrigues amoureuses et de poésie lyrique et courtoise, les hôtes européens coulaient des nuits peuplées de rêves extraordinaires. Les hommes se voyaient en gandoura et turban de soie, affalés dans des divans ouatés, entourés de jeunes femmes fraîchement razziées – des houris en tunique transparente, les yeux soulignés de khôl, les lèvres colorées à l'écorce de noyer, les seins comme de guillerets melons, la croupe pleine à souhait, le galbe parfait. Des éphèbes à la peau diaphane, aux yeux dormants, leur servaient des coupes d'un vin exquis, tandis que des danseuses du ventre se mouvaient lascivement à portée de leur main sur les notes mélodieuses et douces d'un luthiste inspiré.

Les femmes rêvaient de fabuleuses scènes d'amour avec de superbes hommes bleus en gandoura et chèche, des gaillards du désert solides comme du roc, avares en paroles, insatiables en amour, des pirates de Salé férus de chair blanche, des seigneurs des plaines à la peau cuivrée, aux yeux incandescents, prêts à claquer toute leur fortune pour une nuit d'amour avec la femme aimée, des Berbères du Haut Atlas, grands et minces, la peau claire et les yeux verts, des adolescents de la Médina en rut, le sexe raide, haletant, prêt à perforer un mur en béton armé...

Le riad comptait huit alcôves : trois au rez-de-chaussée et cinq à l'étage ; une fontaine, un hammam entièrement carrelé, une vaste terrasse avec moucharabieh, un solarium meublé de tapis du Moyen Atlas, de tables basses, de transats en fer forgé, d'orfèvrerie en argent massif et de pots embaumant le lys et le basilic.

Bien entendu, Caravane Chems est un nom récent pour le riad ; les gens du quartier continuent encore à l'appeler par son ancien nom, Riad L'messioui, en référence sans doute aux premiers propriétaires, les Messioui, une lignée de tisserands bien connus dans cette partie de la Médina. En 2003, des héritiers en guerre le revendirent pour un petit million de dirhams, autant dire une bouchée de pain, ou presque. L'heureux acquéreur fut un Français nommé Jean-Christophe Sobre, ancien employé chez un tour opérateur parisien. Pendant des années, il avait organisé des voyages en groupe à destination du Maroc, de la Tunisie et de l'Égypte. Comment lui est venue l'idée du riad à Marrakech ? Chaque fois qu'on lui posait la question, Jean-Christophe se lançait dans une violente diatribe contre sa France natale. Il n'y avait plus rien à espérer de la France, ni de l'Occident en général ! La vie y était devenue un enfer ; les gens, des fous qui couraient sans arrêt, se défonçant onze mois sur douze pour pouvoir s'offrir trois semaines de vacances au soleil. Et puis, tout le monde avait peur là-bas : les riches, les pauvres, les jeunes, les vieux… Les gens avaient peur de tout : peur de perdre leur travail, peur d'avoir un accident, peur de choper un virus ou une maladie incurable, peur de grossir, peur de vieillir, peur de mourir… La peur, le travail, le stress, la solitude, la grisaille et la pluie, voilà de quoi était fait le quotidien d'un Français…

Jean-Christophe pouvait continuer ainsi pendant des heures, déblatérant inlassablement contre la France et les Français, jurant qu'ils finiraient tous un jour ou l'autre par « foutre le camp de là ». Il se vantait d'être parmi les premiers Français à l'avoir compris : il était un pionnier, un défricheur…

En réalité, pour le riad comme pour tout le reste, Jean-Christophe n'avait fait qu'emboîter le pas à son ancien chef de bureau, un certain Maurice Husson, aujourd'hui propriétaire de trois riads dans la Médina, d'une agence de location de voitures et d'une auberge, Le Relais d'étape, sur la route d'Asni.

Aussitôt le riad acheté, Jean-Christophe démissionna de son travail, revendit ses meubles et prit l'avion pour Marrakech. Ses proches et amis avaient eu beau le mettre en garde, Jean-Christophe ne revint pas sur sa décision.

Ce qui était une aventure pleine de risques aux yeux de ses proches, s'avéra finalement une affaire juteuse pour Jean-Christophe : en à peine deux années de travail, le riad lui rapporta deux millions de dirhams, c'est-à-dire deux fois son prix d'achat. Grisé par le succès de son entreprise, Jean-Christophe se lança aussitôt dans deux autres projets de grande envergure : une agence de location de voitures à Guéliz et une auberge, L'Escale de l'Atlas, située sur la route de l'Ourika : deux autres idées copiées de Maurice Husson, son ancien chef de bureau.

Comme beaucoup d'Européens, Jean-Christophe était également décidé à rester jeune le plus longtemps possible, malgré ses cinquante années bien sonnées. Grand, mince, élancé, les cheveux très fournis et d'un noir d'ébène, l'allure athlétique, le regard vif, l'air dispos et frais d'un jeune homme de trente, trente-cinq ans tout au plus.

Jean-Christophe était célibataire et résolu à le demeurer le restant de ses jours sur la machine ronde. Il avait la ferme conviction que l'homme ne peut vivre heureux dans le mariage, avançant, pour étayer son opinion, une suite d'arguments difficilement réfutables.

« Le mariage, disait-il, est le meilleur moyen pour bousiller la vie d'un homme ! Il y perd d'un seul coup ses biens les plus précieux sur la Terre : sa jeunesse, sa liberté, sa tranquillité, et parfois aussi son argent... Pire, il y perd même l'amour, car en prenant en mariage la femme qu'il aime, l'homme tue automatiquement en lui l'amour qu'il lui porte. Plus qu'une imprudence, plus qu'une erreur, le mariage est un désastre, un attentat contre l'amour. Le jour où les hommes et les femmes banniront le mariage, le monde se portera sûrement beaucoup mieux... ! »

En attendant ce grand jour, Jean-Christophe se contentait d'aimer les femmes à sa manière : sans engagement ni promesse. À l'époque de Caravane Chems, il entretenait simultanément quatre relations d'amour avec trois Françaises et une Belge. De temps en temps, il invitait l'une ou l'autre à un séjour gratis à Marrakech. L'invitée, doublement heureuse, prenait aussitôt l'avion et venait au Caravane Chems partager le lit de son hôte généreux pendant une semaine ou deux. Le séjour terminé, elle reprenait l'avion. Aucune ne soupçonna jamais l'existence des autres.

Du reste, Jean-Christophe s'était bien intégré à son pays d'accueil. Au quartier sidi Youb, ses voisins l'appréciaient beaucoup, parce que, disaient-ils, il avait un côté oriental : facile d'abord, expansif de caractère, distribuant de bon cœur des salams et des labas, avec toujours le sourire et toujours le mot pour rire. Afin de réussir tout à fait son intégration, le propriétaire de Caravane Chems s'était mis à apprendre la darija, l'arabe dialectal, puis même à flirter un peu avec l'islam. Les premiers mois de son installation, Jean-Christophe avait poussé son enthousiasme jusqu'à vouloir prendre un prénom du pays, une idée qu'il a dû toutefois abandonner le jour où Maurice Husson, son ami et ancien chef de bureau, lui a dit que les prénoms arabes n'étaient pas engageants dans les affaires de tourisme – ni dans les affaires en général.

Étant le seul et unique adulte qui manifestât un certain intérêt à leurs jeux, Jean-Christophe avait aussi gagné la sympathie des gamins du quartier, après avoir gagné haut la main celle de leurs parents. En effet, à chacun de ses passages, il s'arrêtait un moment avec eux pour partager une partie de billes, tirer sur un ballon en plastique ou pousser à cloche-pied un palet dans les cases numérotées d'une marelle.

Au début, le riad comptait seulement trois employés : une cuisinière, une femme de ménage et Younès, coursier et garçon de peine. Jean-Christophe, lui, supervisait, s'occupait de la comptabilité et des clients.

Le jour de notre arrivée, Houda et moi, au Caravane Chems, Jean-Christophe opéra un remaniement dans sa structure : il me chargea des courses et du service ; Houda, de la réception et de la comptabilité ; Younès, des clients ; lui consacrerait désormais le plus clair de son temps à ses deux nouveaux projets : l'agence de location de voitures et L'Escale de l'Atlas, l'auberge située au kilomètre 36 sur la route de l'Ourika.

Nous arrivions tous les jours au Caravane Chems à sept heures du matin, en repartions une fois la table du dîner desservie : généralement entre vingt-deux et vingt-trois heures. Nous mangions ensemble dans la cuisine. Jean-Christophe mangeait souvent avec nous, sur la même table. Les repas étaient conviviaux et l'ambiance amicale.

Bien qu'il nous prît tout notre temps, le travail au riad n'était ni dur ni contraignant ; souvent, il pouvait se faire en quelques heures seulement, mais nous devions être continuellement présents sur place jusqu'à la fin du service du soir.

Jean-Christophe était un patron comme tous les employés du monde aimeraient en avoir : respectueux, aimable, compréhensif, généreux – un patron idéal, en somme. J'étais heureux de travailler pour lui, d'autant plus heureux que j'avais en permanence Houda à mes côtés. Je pouvais lui parler à toute heure, admirer à souhait son beau visage, me perdre dans le vieil or de ses yeux, sentir le doux parfum de sa peau : que rêver de mieux ? Parfois, quand Jean-Christophe n'était pas au riad, je l'attirais dans quelque recoin, le temps d'une étreinte furtive et d'un baiser non moins furtif… Est-il besoin de le rappeler ? j'aimais Houda. Je l'aimais comme je n'avais jamais aimé personne auparavant. Je l'aimais de tout mon cœur et de toute mon âme. Et je le lui disais souvent. Et elle me souriait à chaque fois. Affectueusement. Amoureusement. Et elle était encore plus belle quand elle souriait, belle à couper le souffle.

Il faut dire que depuis son arrivée au Caravane Chems, Houda avait encore embelli, comme si le fait d'avoir trouvé un travail avait déclenché en elle un extraordinaire épanouissement physique. Ses traits avaient gagné en pureté et en grâce, son corps s'était développé dans la séduction et l'harmonie. Il fallait vraiment être aveugle ou de marbre pour ne pas la remarquer désormais ! Dans la rue, des hommes de tout âge se retournaient sur son passage ; les plus effrontés s'arrêtaient carrément et se mettaient à la reluquer avec de grands yeux de bête salace.

Loin de m'inquiéter, ces réactions me procuraient un agréable sentiment de fierté et de réconfort mêlés. N'étaient-elles pas la preuve incontestable que j'avais fait le bon choix, peut-être même le meilleur ?

La seule chose qui aurait dû toutefois éveiller en moi une certaine inquiétude (mais qui ne le fit malheureusement pas !), c'était la nouvelle attitude de

Houda face à sa propre beauté : alors que jusque-là, elle s'en désintéressait complètement, laissant aux autres le soin de l'apprécier à sa juste valeur, la jeune femme commença à en prendre conscience et à en mesurer l'importance dans la société ; peut-être même voyait-elle les multiples avantages qu'elle pouvait en tirer. En clair, Houda commençait à perdre son innocence et sa spontanéité.

Comment en était-elle arrivée là ? Qui dans son entourage avait pu exercer sur elle une si mauvaise influence ? Je n'en sais rien.

Un soir, en rentrant du travail, Houda m'annonça que Jean-Christophe venait de lui faire une « proposition intéressante ». Je m'arrêtai, saisi d'une vive inquiétude.

« Ne t'inquiète pas ! reprit-elle, rassurante, ce n'est pas ce que tu imagines ! Jean-Christophe me sollicite pour lui donner des cours d'arabe dialectal. Cinquante dirhams l'heure, ajouta-t-elle, débordante de joie. Tu te rends compte, cinquante dirhams l'heure ! »

Je voulais bien partager la joie de Houda, mais quelque chose en moi m'empêchait de le faire ; l'imaginer dans une pièce seule avec Jean-Christophe, même pour la plus noble des causes, ne me rassurait pas. En amour, on a beau être confiant, on n'est jamais vraiment tranquille quand la femme que vous aimez se retrouve en tête-à-tête avec un homme, et encore moins quand ce dernier est un coureur de jupons invétéré !

« Jean-Christophe me propose de lui donner huit heures de cours par semaine, poursuivit Houda. Cela me fera… Huit fois quatre, trente-deux, fois cinquante… Cela me fera… Cela me fera la bagatelle de mille six cents dirhams par mois, ajouta-t-elle, jubilante. Mille six cents dirhams par mois ! Tu imagines ? C'est presque un deuxième salaire. »

Et elle se mit à rêver. Les mille six cents dirhams seraient pour elle. Exclusivement pour elle. Elle n'en donnerait pas un rond à son père ni à sa mère, et à ses frères et sœurs non plus ! À vrai dire, elle ne leur en parlerait même pas. Elle ne leur en parlerait jamais ! Ce serait son jardin secret, ces mille six cents dirhams… Elle les claquerait entièrement pour elle, pour son propre plaisir. Elle s'achèterait des fringues, des parures et des meubles, rien que pour elle ! Pour son usage personnel. Elle s'offrirait tout ce dont elle avait rêvé jusque-là : des boucles d'oreille en or comme celles de Naima Ayour, un manteau de velours, un ensemble pour les sorties, les voyages… Un caftan pour les grandes circonstances, les mariages, les fêtes… Des bottes en daim, un lisseur à cheveux, un matelas Dolidol, une commode en bois rouge vernissé, une valise de voyage, un sac à main assorti avec l'ensemble, un sac de plage… Elle se permettrait aussi quelques petites folies : une trousse de toilette, un téléphone portable à écran tactile, un appareil photo numérique, un parfum haut de gamme : Guerlain ou Chanel…

« Mais comment feras-tu pour trouver les deux heures quotidiennes ? interrompis-je Houda avec la nette intention de la décourager. Tu travailles déjà toute la journée !

— Jean-Christophe me propose de prendre ses leçons le soir après le service, entre neuf et onze heures.

— Ce ne sera pas trop éprouvant pour toi de donner des cours après une longue journée de travail ?

— Nullement ! Le travail que je fais au riad n'est jamais éprouvant. Et puis, reprit-elle après un silence, j'aime enseigner, tu sais. C'était mon grand rêve, enseigner… L'idéal serait évidemment que je sois professeur à part entière… Professeur de sciences naturelles, bien entendu… Dans un vrai établissement scolaire, avec une vraie salle de cours et de vrais élèves… Qui sait, peut-être que mon rêve se réalisera un jour ou l'autre ? En attendant, voici une occasion doublement belle : elle me permettra d'arrondir mes fins de mois et me donnera un avant-goût du métier que j'ai toujours rêvé d'exercer… »

Ce qui fut pour Houda une occasion doublement belle devint pour moi une véritable source d'inquiétude. En clair, je n'arrivais pas à me faire à l'idée que mon aimée se retrouvât tous les soirs en tête-à-tête avec Jean-Christophe. Comment m'y ferais-je, alors que Houda était une si jolie fille et Jean-Christophe un don juan avéré ? De surcroît, il était célibataire, riche et même, je l'avoue, beau, très beau, malgré ses cinquante années bien sonnées. Personnellement, je ne suis ni beau ni laid. Et s'il faut vraiment me qualifier, je dirais que je suis un être passable, ordinaire. Mère Nature m'a doté d'une tête assez commune, sans défaut apparent ni attrait particulier ; je suis un jeune homme insignifiant, pour tout dire. Mon seul et unique avantage sur Jean-Christophe est ma jeunesse ; mais que pèse la jeunesse sur une terre où tout est monnayable, où l'argent fait bien plus que le bonheur, contrairement à ce que dit le proverbe ? Non, décidément, cette histoire de cours d'arabe ne me rassurait pas.

« Pourquoi continues-tu à me décourager ? s'emporta brusquement Houda, les joues empourprées, les sourcils joints.

— Je ne te décourage pas, répondis-je, j'essaie seulement de te protéger de ce coureur de jupons.

— Mais je ne demande pas à être protégée ! m'interrompit-elle, furibonde. Je ne suis plus une enfant, voyons ! »

Comme la discussion tournait à la dispute, j'y renonçai.

Les cours débutèrent bientôt : deux heures chaque soir après le service. Ils avaient lieu à l'étage, dans une petite pièce carrée qui, naguère encore, servait de débarras. Jean-Christophe l'avait fait récemment transformer en une petite salle de cours, avec estrade, bureau, pupitre et tableau noir ; les murs y étaient repeints en blanc cassé, le plafond recouvert de plâtre ouvragé, l'unique fenêtre munie d'un rideau en mousseline bleu Majorelle : un cadre idéal pour apprendre, en somme.

De son côté, Houda prenait son travail d'enseignante très au sérieux : elle préparait régulièrement ses cours, leçon par leçon, étape par étape, anticipait les questions de Jean-Christophe, prévoyait les réponses, élaborait les exercices, les évaluations orales et écrites pour vérifier le degré d'assimilation des cours dispensés… Ses fiches, bien rangées dans une chemise, n'avaient absolument rien à envier à celles d'une institutrice appliquée et diligente : les activités y étaient consignées avec soin, la démarche à suivre précisée, l'objectif à atteindre clairement défini à la tête de chaque fiche : se présenter, demander son chemin, demander le prix d'une marchandise, remercier, s'excuser…

Tous les soirs après le service, Houda et Jean-Christophe se retiraient dans la petite pièce aménagée à l'étage. La leçon d'arabe dialectal durait en général deux heures, parfois un peu plus. Pendant ce temps, j'attendais Houda dans la cour afin de la raccompagner chez elle. Attendre est sans doute un euphémisme ; en vérité, j'étais tous les soirs en proie à l'inquiétude la plus cruelle ; crispé, fiévreux, tourmenté, je faisais les cent pas dans la cour, l'oreille tendue en permanence vers l'étage, guettant et analysant les bruits qui me parvenaient de la petite pièce. Mon sens de l'ouïe s'était affiné au maximum ; j'entendais nettement tout, ou presque tout : Houda prononçait un mot ou une expression, le notait au tableau, le prononçait de nouveau, prenant soin d'en détacher les syllabes ; Jean-Christophe répétait après elle ; Houda intervenait pour rectifier une faute de prononciation ; Jean-Christophe reprenait sans guère de succès quand le mot en question contenait une consonne gutturale ou un *r* roulé… Parfois, il posait des questions en français. « Dis, Houda, comment dit-on en arabe… ? Dis, Houda, comment peut-on traduire le mot… ? » Houda répondait, illustrant chaque fois sa réponse par deux ou trois exemples ; une petite discussion s'engageait…

Tant que les voix et autres bruits de cette nature me parvenaient de la petite pièce, j'étais rassuré ; en revanche, dès qu'un silence se faisait, ma tension montait d'un cran, les battements de mon cœur prenaient un rythme effréné. Dans mon esprit, des images insoutenables défilaient... Quand, par malheur, l'abominable silence se prolongeait, je courais, affolé, vers l'escalier menant à l'étage, en montais les marches à pas feutrés, les sens aux aguets, le cœur battant la chamade... Les deux heures que durait le cours d'arabe s'écoulaient ainsi tous les soirs que Dieu fait : un supplice, une torture à ne jamais souhaiter à un être humain, fût-il votre pire ennemi.

Un soir, alors que j'étais aux aguets dans l'escalier, un bruit de pas se fit soudain entendre derrière moi. Je me retournai : c'était Younès ; il revenait d'une course, un carton entre les bras.

« Qu'est-ce que tu fais là ? me demanda-t-il, surpris.

— Je..., murmurai-je, gêné et perplexe. Je... J'attends Houda... »

Il hocha la tête avec un air de pitié. Je baissai les yeux, honteux comme un chenapan saisi la main dans l'étalage. Younès rangea le carton dans un coin puis revint vers moi :

« Allons boire quelque chose au café ! me dit-il.

— C'est très aimable à toi, mais... Mais j'ai promis à Houda de l'attendre... Il faut que je la raccompagne après le cours d'arabe... »

Younès hocha lentement la tête de droite à gauche :

« Pauvre Saïd ! » murmura-t-il en s'en allant vers la sortie.

Ce « pauvre Saïd » eut sur moi l'effet d'une gifle reçue au beau milieu d'un souk : je sursautai, vivement blessé dans mon amour-propre. L'instant d'après, je m'élançai derrière Younès, courant à toutes jambes. Au deuxième tournant de la ruelle, je le rattrapai :

« Tu me caches quelque chose ! » lui lançai-je à bout portant.

Younès me regarda, déconcerté.

« Je te cache quelque chose ! Sur qui ? Sur quoi ?

— Sur Houda, voyons !

— Que veux-tu que je te dise sur Houda que tu ne saches déjà ? répondit-il, embarrassée et évasif. Je ne sais rien sur Houda que tu ne saches déjà... !

— Tu as vu quelque chose, n'est-ce pas ?

— Non, je n'ai rien vu.

— Jure-le-moi !

— Qu'est-ce que tu veux que je te jure ?

— Jure-moi que tu n'as rien vu ! »

Younès hocha de nouveau la tête de droite à gauche, lassé :

« Ces choses-là, on ne les voit pas, Saïd ! Ces choses-là, on les devine… Même les chiens et les chats prennent leurs précautions dans pareilles situations. Pour ne pas être vus, justement ! »

Je pivotai sur mes talons et m'en retournai au riad, plus malheureux que jamais.

Un soir, alors que je faisais le pied de grue dans la cour du riad en attendant que Houda terminât son cours d'arabe, un silence inquiétant se fit dans l'étage. Plus aucun bruit ne me parvenait de là-haut, pas même le crissement de la craie sur le tableau. Pour me calmer, je me dis que Jean-Christophe était peut-être en train d'écrire; c'était ainsi à l'école, quand les élèves recopiaient la leçon du jour dans leurs cahiers: les bruits cessaient tout d'un coup en classe. Mais l'intolérable silence se prolongea, se prolongea plus que de coutume. À bout de patience, je courus vers l'escalier, montai une dizaine de marches, m'arrêtai, tendis l'oreille: pas le moindre bruit! Je montai jusqu'à l'avant-dernière marche, m'arrêtai, tendis l'oreille: le cruel silence demeurait total. Je penchai la tête: le corridor baignait dans un clair-obscur de grenier, et la porte de la petite pièce, d'habitude grande ouverte, était fermée. Mon sang ne fit qu'un tour, ma peau se hérissa... Un instant de réflexion et je me coulai à travers le corridor, décidé à élucider la situation. Alors que je m'apprêtais à coller une oreille aux interstices de la porte, Mimoune, le chat du riad, s'élança d'entre mes jambes en poussant un glapissement de terreur. Je bondis en arrière, effrayé ; je perdis l'équilibre et m'étalai de tout mon long sur le sol. La porte de la petite pièce s'ouvrit : Jean-Christophe apparut dans la béance éclairée, haut en couleur, la tenue débraillée, l'air éméché.

« C'est toi, Saïd ? me dit-il. Mais qu'est-ce qui t'arrive ? »

Je me redressai, remettant à la hâte un peu d'ordre dans mes vêtements.

« Qui t'a mis dans ce piteux état, pauvre Saïd ? ajouta Jean-Christophe.

— Le chat Mimoune ! » lui répondis-je spontanément.

Jean-Christophe éclata de rire, un rire franc et sonore qui se répercuta au riad comme une volée de cristal. Je réalisai alors l'ampleur de ma bêtise. Dans la vie, il m'arrive souvent d'agir de la sorte : de dire une sottise et de ne m'en rendre compte qu'après coup. C'est mon esprit d'escalier, et ce n'est pas le moindre de mes défauts.

« Mimoune, le chat de la maison ? fit Jean-Christophe mi-badin, mi-railleur. Je savais Mimoune solide et robuste, mais pas au point d'envoyer au tapis un brave employé de la maison. »

Il s'esclaffa de nouveau, s'allongeant de grandes tapes sur les genoux.

« Qu'est-ce qui se passe, Jean-Chris ? » dit Houda en apparaissant à ses côtés dans l'encadrement de la porte.

Elle avait les cheveux emmêlés, les lèvres rouges comme une plaie béante. À ma vue, elle se raidit soudain ; les muscles de son visage se contractèrent, son regard durcit, son front se ravina de deux rides profondes. Elle avança d'un pas dans ma direction. Je sentis des vibrations hostiles se dégager de son corps.

« Qu'est-ce qui se passe ? » me demanda-t-elle en arabe dialectal.

Je desserrai les lèvres pour dire quelque chose, sans savoir vraiment quoi. N'ayant rien trouvé, je me réfugiai derrière la contemplation de mes doigts.

« Qu'est-ce que tu faisais ici ?

— Il livrait bataille au chat Mimoune ! railla Jean-Christophe qui avait deviné la question. Manque de pot, le matou a eu raison de lui.

— Qu'est-ce que tu faisais ici ? répéta Houda, furibonde. Tu m'épiais, n'est-ce pas ?

— Non..., dis-je, confus et incertain. Je... Je suis juste venu te dire...

— Le chat Mimoune a mis KO un de mes employés ! repartit Jean-Christophe. Elle est bien bonne, celle-là ! ajouta-t-il en se tapant dans les mains. C'est la meilleure de l'année !

— Tu m'épiais, n'est-ce pas ? répéta Houda.

— Non, bredouillai-je, à court de réponse, je suis juste venu te dire... Je suis juste venu te dire...

— Me dire quoi ? m'interrompit-elle, exaspérée.

— Mais rassure-toi, Saïd ! poursuivit Jean-Christophe sur le même ton persifleur. Je ne tolérerai pas que l'un de mes employés se fasse maltraiter par un vulgaire matou ! Je te promets que dès demain, je ferai passer l'agresseur au conseil de discipline et prendrai les mesures qui s'imposent.

— Me dire quoi ? » répéta Houda sans prêter attention à la tirade railleuse de Jean-Christophe.

Acculé, j'avançai une ineptie :

« Je suis juste venu te dire que je t'attendais en bas...

— Eh bien, ne m'attends pas ! » répliqua-t-elle du tac au tac.

Le monde s'enténébra brusquement autour de moi ; j'eus l'impression de sombrer dans une bouteille d'encre, ma respiration se bloqua, mes jambes chancelèrent, je me sentis près de perdre conscience, de tomber en syncope... Houda rentra dans la pièce, claquant violemment la porte derrière elle. Une main accrochée à la balustrade en bois ajouré de la terrasse, je tentais de me ressaisir lorsque la porte se rouvrit soudain :

« Ne m'attends plus jamais ! me cria Houda. Dorénavant, je rentrerai seule. »

Houda ne décoléra pas le lendemain, ni le surlendemain, ni les jours suivants. Dès que son regard tombait sur moi, elle s'improvisait un masque de cire, arborait l'air de quelqu'un qui rencontre son pire ennemi. Au riad, elle faisait comme si je n'existais plus, s'arrangeait pour mettre le plus de distance possible entre elle et moi… Quand, par hasard, nous nous croisions dans la rue, elle détournait les yeux et passait son chemin, mine de rien. Pourquoi m'en voulait-elle à ce point ? Que lui avais-je fait ? De quelle faute étais-je coupable à son égard… ? J'avais beau me poser ces questions, aucune réponse ne me venait à l'esprit. Désespéré et malheureux, je me tournai vers Younès, avec l'espoir qu'il trouverait les mots qu'il fallait pour calmer ma cruelle douleur.

C'était un soir après le travail. Nous nous trouvions, Younès et moi, sur la terrasse du café de la Place, notre lieu de rencontre habituel. Hamid, le garçon de l'établissement et un ancien camarade de faculté, nous servit du thé avec, en guise de faveur, un florilège de plantes odoriférantes : de la verveine, de la sauge, de la marjolaine, de l'origan et du thym. Mais j'étais si malheureux que l'infusion avait un goût fade dans ma bouche. La place Djemâ Lefna elle-même me semblait ce soir-là désolée et sinistre; les promeneurs y arboraient des têtes d'enterrement, affligées et tristes.

« Qu'est-ce que tu as, Saïd ? » me demanda Younès.

Jugeant inutile de biaiser avec un ami intime, j'épanchai mon cœur. Younès m'écoutait, hochant la tête, l'air pas du tout surpris. Arrivé au bout de mon récit, je me tus et attendis sa réaction. Il pêcha une cigarette dans son paquet de Marquises, la tapota un moment contre l'ongle de son pouce, la fixa entre les lèvres, y mit le feu.

« Je ne la reconnais plus, ajoutai-je. Je ne la reconnais plus !

— "*L'homme est un être de fuite*", cita Younès en restituant sa fumée par les narines.

— Pourquoi se comporte-t-elle ainsi avec moi ? Que lui ai-je fait ? De quelle faute suis-je coupable à son égard ?

— Tu ferais mieux de ne plus te poser ces questions, me conseilla Younès.

— Pourquoi ?

— Pourquoi... ? Pourquoi... ? reprit-il, embarrassé. Parce que... Parce que c'est là des questions auxquelles seul le temps apporte une réponse. »

Il avala une autre bouffée de fumée, la retint quelques instants dans ses poumons puis la libéra, moitié par la bouche, moitié par les narines.

« Oui, seul le temps apporte une réponse à de telles questions ! »

Le soir, étendu sur mon lit, les doigts entrecroisés derrière la nuque, les yeux fixant vaguement le plafond, je méditai les paroles de Younès. Sans doute mon ami avait-il raison. De toute façon, il avait toujours raison, Younès ! Comment n'aurait-il pas raison : il connaissait la vie mieux que moi, et son expérience avec les filles était beaucoup plus étendue. Oui, le temps apporterait sûrement une réponse à mes interrogations, à toutes mes interrogations... Le temps finirait par tirer les choses au clair... Le temps ! Voici le maître mot, la clef de l'énigme ! Avec le temps, Houda ferait immanquablement son examen de conscience. Et elle se rendrait compte qu'elle était dans l'erreur. Et elle culpabiliserait à en mourir. Et elle me reviendrait, harcelée par le remords de m'avoir injustement abandonné. Et elle me supplierait de lui pardonner. Et je lui pardonnerais. Sans la moindre rancune. Et nous tournerions la page. Et je lui rouvrirais mes bras. Et nous nous aimerions de nouveau, comme auparavant. Plus qu'auparavant ! N'était-ce pas ainsi que les grandes amours se consolident toujours, par les disputes, les ruptures, les déchirures et les larmes ? « *Il n'y a pas d'amour qui ne vive de pleurs* », m'avait cité une fois Younès. C'était, je crois, les mots d'un grand poète français, mort probablement comme tous les grands poètes, français ou pas. Il n'y a pas d'amour qui ne vive de pleurs. Il faudrait absolument que je demande à Younès de me rappeler le nom de ce grand poète…

Le lendemain matin, un doute sérieux me gagna : je ne me sentais plus tout à fait aussi sûr de mettre à exécution le conseil de mon ami Younès ; des interrogations d'un autre ordre me turlupinaient : avais-je bien réfléchi la veille ? Avais-je vraiment la patience qu'il fallait pour laisser faire le temps ? Étais-je capable de jouer l'indifférent à l'égard de Houda ? En avais-je au moins le courage… ? Plus je me posais ces questions, plus ma détermination de la veille flanchait.

Arrivé à l'entrée en arcade de Sidi Youb, un événement survint qui inversa brusquement la situation. Je marchais vers le riad lorsqu'un bruit de pas familiers attira mon attention. Je me retournai : c'était Houda ; elle avançait, détachée et indifférente. Je m'arrêtai.

« Bonjour, Houda ! lui dis-je quand elle arriva à mon niveau. Ça va ? »

Elle poursuivit son chemin sans desserrer les lèvres ni même daigner me jeter un regard.

« Ça alors ! s'indigna un passant qui suivait la scène, un vieux habillé à l'ancienne, avec turban, djellaba et babouches. L'époque des hommes vrais est terminée ! ajouta-t-il, sentencieux. C'est sûrement un signe des Temps ! »

Ma dignité d'homme s'éveilla soudain, piquée au vif ; mon corps s'ouvrit à un sentiment sans nom : un mélange de colère, de honte et de confusion. Je m'en pris à moi-même, me tançant vertement, me traitant de tous les noms : de chiffe molle, de piteux, de minable... Jamais je ne me suis autant détesté.

À l'entrée du riad, je retombai sur Houda. Elle leva incidemment les yeux sur moi : je lui décochai un regard chauffé à blanc, les lèvres retroussées sur un rictus de carnassier enragé, prêt à faire des dégâts ; elle baissa les yeux, effarée. Je passai mon chemin, poings fermés et mâchoires grinçantes.

Depuis l'humiliation essuyée ce matin-là, quelque chose avait radicalement changé en moi. Je n'avais pas oublié Houda, loin s'en fallait, mais j'étais déterminé à jouer l'indifférent à son égard, même si, au fond de moi, je gardais l'espoir d'une explication et d'un raccommodement. Les premiers jours furent particulièrement difficiles, d'autant plus difficiles que Houda se trouvait là en permanence ; il me suffisait parfois de lever les yeux pour la voir. J'avais aussi, certes, des moments de grande faiblesse pendant lesquels mon cœur s'attendrissait, ma détermination flanchait ; et, comme pour précipiter ma chute, d'irrésistibles scènes d'amour défilaient dans mon esprit : je me revoyais enlaçant le merveilleux corps de Houda, dévorant ses lèvres exquises, léchant son corps à la peau veloutée, emplissant mes mains de ses seins, caressant ses fesses pleines et harmonieuses... C'était à ces moments-là que je me sentais faible, chancelant, prêt à me jeter aux pieds de Houda. Cela m'arrivait surtout le soir dans ma chambre, quand je me retrouvais seul face à ma triste destinée. Je passais des nuits entières d'angoisse et de souffrances cruelles. Le matin, j'arrivais au Caravane Chems le teint plombé, les traits défaits, le cœur malade, le moral dans les chaussettes.

« Qu'est-ce que tu as, Saïd ? me demanda un jour Younès. Tu dépéris à vue d'œil ! »

J'épanchai mon cœur comme on le fait devant un ami véritable, franchement et sans détour.

« Contre ce genre de chagrin, me dit-il après m'avoir attentivement écouté, il n'y a pas meilleur remède qu'une bonne masturbation. L'efficacité est aussi sûre qu'instantanée !

— Tu te fous de ma gueule ? fis-je, froissé.

— Non ! se défendit Younès. C'est la solution conseillée par un psychologue contemporain... Si tu la refuses, ajouta-t-il après un silence, j'en ai une autre : elle émane d'un docteur de la foi égyptien que j'ai vu tout récemment sur Al Jazeera. »

Comme je ne réagissais pas. Younès enchaîna :

« Tu te mets en direction de La Mecque comme pour faire la prière ; tu fermes les paupières et récites onze fois la Fatiha, première sourate du Livre. Il paraît que toutes nos douleurs, toutes nos peines s'apaisent instantanément... »

Le soir venu, j'essayai la recette du docteur de la foi égyptien : mon état ne s'améliora pas d'un iota. Je réessayai. En vain. Je passai alors à celle du psychologue contemporain. Cette fois-ci, le résultat fut probant : au moment de l'éjaculation, j'eus la sensation que c'était toute ma douleur, toutes mes souffrances qui s'en allaient hors de moi. Une demi-heure plus tard, je me retrouvai dans les bras de Morphée.

Depuis, toutes les nuits, je m'offrais le plaisir d'une petite séance de masturbation. Au début, je pensais à Houda, bien sûr ; par la suite, je me concentrai sur tous les culs en général : d'anciennes camarades d'université ou de lycée, des filles du quartier ou de quartiers voisins, de jeunes femmes rencontrées dans la rue, parfaitement anonymes, de jolies touristes européennes croisées dans quelque souk de la Médina, des journalistes de télévision, des actrices de cinéma...

En cette période difficile de ma vie, Younès m'a beaucoup soutenu ; sans lui, je ne m'en serais peut-être pas sorti. Dès qu'il voyait que je n'allais pas bien, il intervenait, essayait de me distraire, de me remonter le moral... Tous les soirs après le travail, il m'invitait au café de la Place. Nous nous installions sur la terrasse, souvent à la même table, celle située au fond à gauche. Hamid nous servait notre habituel thé à la menthe avec, comme faveur, toujours le même florilège de plantes odoriférantes : de la sauge, de la marjolaine, de l'origan, du thym. Nous sirotions l'infusion parfumée tout en lorgnant les jambes des passantes – un sport national, du reste.

Younès ne me parlait jamais de Houda ni de Jean-Christophe.

Ce fut au cours de cette période difficile de ma vie que j'ai grillé ma première cigarette, une Marquise, je m'en souviens encore. Younès me l'a offerte un soir de grand chagrin. Je l'ai fumée sans vraiment m'en rendre compte, comme dans un rêve – ou plutôt dans un cauchemar. Mon corps n'a eu aucune réaction de rejet, fût-ce un toussotement ! Peut-être parce que j'étais par trop malheureux.

Par la suite, j'en ai fumé beaucoup d'autres : toujours des Marquises, et toujours en compagnie de Younès sur la terrasse du café de la Place. Quelques mois plus tard, je fumais partout où il était possible de le faire.

Un soir, alors que nous sirotions tranquillement notre habituel thé aux plantes sur la terrasse du café de la Place, j'aperçus soudain, dans la rue piétonne d'en face, la silhouette de Houda. Mon cœur bondit dans ma poitrine, ma tension monta d'un cran, mes cheveux se hérissèrent. Je me redressai brusquement. Les poings appuyés contre le guéridon, le buste penché en avant, les yeux écarquillés, je cherchais encore à m'assurer que c'était vraiment Houda, lorsque je vis Jean-Christophe se dégager de la foule et la rejoindre. La main dans la main, les deux traîtres se fondirent dans la masse compacte des promeneurs, devisant gaiement comme deux jeunes amoureux aux premiers jours de leur idylle.

J'obliquai vers Younès :

« Tu les as vus ? » lui demandai-je.

Il écarta légèrement les bras, l'air de quelqu'un qui a déjà vu pire. Je le pressai de parler, de me dire ce qu'il savait, tout ce qu'il savait…

« Que veux-tu que je te dise? me répondit-il, embarrassé et perplexe. Je ne sais que te dire… ! »

Je continuai de l'exhorter à parler; il continua de répéter les mêmes mots: « Que veux-tu que je te dise ? Je ne sais que te dire… ! » comme un disque rayé. Je finis par le quitter et rentrai chez moi.

Arrivé devant la maison, je me rendis compte que je n'avais aucune envie de me retrouver seul à broyer du noir entre quatre murs. J'étais accablé. J'étais déprimé. J'étais malheureux. J'avais l'air d'un chiot abandonné dans la rue par une nuit de vent et de pluie. Tout autour de moi me paraissait sinistre. Rentrer à la maison dans cet état ne ferait qu'aggraver ma situation ; je fis donc demi-tour et partis à l'errance à travers la Médina, passant d'une ruelle à l'autre, d'un souk à l'autre, marchant, marchant, sans aucun but, inlassablement.

Arrivé à Bab J'did, je mis le cap sur Guéliz, le quartier huppé de la ville. Les rues étaient encore très animées, les terrasses des cafés pleines de monde ; des adolescents se baladaient en bandes tapageuses. Je m'arrêtai incidemment devant le Théâtre royal. Ce soir-là, l'établissement donnait en représentation un opéra de W. A. Mozart, intitulé *L'Enlèvement au sérail*. Une jeune fille me donna un prospectus. Je le parcourus du regard. Mes yeux s'arrêtèrent sur un titre en bas du feuillet : « À lire avant le spectacle. » C'était le synopsis de l'opéra. Je lis : « Dans le décor exotique d'une caravane imaginaire qui se dirige vers une ambassade, Belmonte, un jeune noble espagnol, arrive pour sauver Constance, sa bien-aimée captive du pacha Selim… Le pacha aime Constance, mais contrairement à ce que pensent "nos touristes", il la respecte et attend qu'elle consente à accepter son amour… » J'arrêtai la lecture et regardai la grande affiche à l'entrée du théâtre : Belmonte, déguisé en Bédouin, écartait les bras dans un geste de désespoir absolu, les traits défaits, l'air affligé. « Belmonte, me surpris-je à dire, tu ne peux prétendre être plus malheureux que moi ! Toi au moins, tu es encore aimé par ta Constance ! Toi au moins tu gardes l'espoir de la retrouver un jour, tandis que moi… » Je roulai le prospectus entre mes doigts puis, d'une pichenette, le lançai contre la haie de bougainvilliers longeant le Théâtre royal. Un petit vendeur de cigarettes au détail passa de l'autre côté de la rue en faisant cliqueter de la petite monnaie dans le creux de sa main. Je le hélai ; il pivota sur ses sandales et s'élança dans ma direction, courant à toutes jambes.

« Pourquoi tu cours comme ça ? lui demandai-je. Y a pas le feu en la demeure !

— Pour pas me faire devancer par un concurrent ! me répondit-il, hors d'haleine. Dans cette ville de mon zob, y a autant de vendeurs de cigarettes au détail que de fumeurs ! »

Je me rendis compte que c'était un nain nanti d'une tête ovale et massive, un Boukal comme on dit métaphoriquement à Marrakech. Je lui demandai cinq Marquises. D'un geste rapide, il les pêcha dans un paquet et me les donna. Je le payai. Il empocha l'argent mais ne bougea pas de sa place.

« Qu'est-ce que t'attends pour mettre les voiles ?

— Je vois que monsieur a le cafard. »

Comme je ne répondais rien, il enchaîna :

« J'ai de quoi remonter le moral à monsieur et lui rendre ainsi le sourire !

— Quoi, par exemple ?

— Par exemple, ce qui va avec ça ! fit-il en indiquant d'un coup de menton les cinq Marquises que je tenais encore à la main.

— Qu'est-ce qui va avec ?

— Monsieur ne pige vraiment pas, ou fait-il semblant de ne pas piger ?

— Non, je ne pige pas ! Qu'est-ce qui va avec ? »

L'avorton roula une cigarette imaginaire entre ses petits doigts potelés.

« Monsieur pige à présent ?

— Je fume pas de shit.

— Mais, Monsieur, mon bisness ne se limite pas au seul shit ! J'ai aussi à l'intention de mes clients toute une gamme de produits : de la poudre, de l'alcool et de la chair fraîche ! J'ai même dans mon entrepôt une demi-douzaine d'éphèbes pour les clients qui donnent dans la chose ! »

L'avorton retira de la poche de son blouson un téléphone portable, un modèle coulissant avec écran en couleurs et caméra, très sophistiqué.

« Un petit coup de fil, et monsieur est servi en un quart de tour ! Je fais aussi de la livraison à domicile pour les clients des hautes sphères. »

Au moment de prendre congé, le nain voulut absolument que je note son numéro de téléphone.

« Peut-être qu'un jour ou l'autre monsieur aura besoin de mes services ! » ajouta-t-il en guise d'argument.

Sans réelle conviction, j'entrai son numéro dans le répertoire de mon portable, un Nokia 32/10, obsolète et totalement ringard. Dans la case « nom », je tapai Boukal.

Cette nuit-là, je ne rentrai chez moi que vers deux heures du matin. Les lumières étaient éteintes ; la maison baignait dans un silence de cimetière à peine perturbé par les notes aiguës et cristallines de trois ou quatre grillons. Je me coulai dans ma chambre à pas de loup, comme un cambrioleur.

Quoique épuisé, je n'arrivai pas à fermer les paupières. J'étais accablé de chagrin. J'avais le cœur gros, l'âme en peine, l'esprit en proie à des idées noires.

Vers quatre heures du matin, alors que le muezzin psalmodiait sa litanie, appelant les fidèles d'Allah à s'extirper de leur lit pour s'acquitter de la première prière du jour, je m'offris une petite masturbation en me concentrant sur Valérie, une cliente de Caravane Chems fraîchement débarquée de Paris, une jolie blonde, bien en chair, avec des yeux verts et un teint de rose. Cinq ou six minutes plus tard, le sommeil m'emporta dans ses noirs abîmes.

En cette période de ma vie, les événements s'enchaînèrent infailliblement, comme les scènes d'une tragédie ancienne. J'avais l'impression que tout y avait été décidé à l'avance ; il ne me restait plus qu'à assister, désarmé et impuissant, au déroulement de mon destin.

En effet, quelques semaines après avoir aperçu Houda en compagnie de Jean-Christophe sur la place Djemâ Lefna, un incident se produisit au riad, m'enfonçant encore un peu plus dans l'affliction et le chagrin. C'était un samedi ; nous nous préparions à déjeuner dans la cuisine. Lalla Z'hour, la cuisinière de Caravane Chems, un cordon-bleu, avait préparé un poulet de ferme aux olives et aux citrons confits. Jean-Christophe débarqua soudain, l'air décontracté, la démarche titubante, une bouteille de whisky à la main. Nous échangeâmes, Younès et moi, un regard stupéfait : nous avions l'habitude de voir de temps en temps notre patron légèrement ivre, un peu pompette, comme il disait lui-même, mais jamais nous ne l'avions vu dans un état d'ébriété aussi avancé.

« Mes amis, nous dit-il d'une voix légèrement pâteuse, nous allons fêter aujourd'hui le cinquième anniversaire du Caravane Chems ! »

Il se versa une bonne rasade, l'absorba d'une traite, s'essuya les lèvres avec le revers de la main puis se retourna vers Houda :

« Ça va, ma jolie ? lui demanda-t-il, le regard plein de désir.

— Oui, ça va bien, merci ! » répondit Houda, visiblement sans se douter de rien.

Jean-Christophe tendit la main et lui pinça la joue.

« T'es vraiment une jolie fille, toi ! » ajouta-t-il, l'air salace.

Je me redressai d'un bond, hors de moi.

« Jean-Christophe ! tonnai-je.

— Oui ? répondit-il avec un calme feint.

— Je t'interdis de toucher Houda !

— Pourquoi ? Houda n'est, à ce que je sache, ni ta femme ni ta sœur.

— Elle est ma copine !

— Ta copine ? fit-il avec un rictus railleur. Est-ce à moi de t'apprendre que la société marocaine réprouve sévèrement le copinage homme-femme, et que la loi l'interdit formellement ? C'est même, m'a-t-on appris, un délit passible de peine ! Ta copine ? Sais-tu au moins que… »

Le téléphone de la réception retentit. Houda se leva.

« Non, lui dit Jean-Christophe. C'est pour moi. »

Et il s'en fut, titubant, en direction de la réception. J'obliquai vers Houda :

« Tu ne dis rien, toi ? » lui demandai-je, mettant toute mon indignation dans ce toi.

Elle releva la tête, soutint mon regard, encore certaine de son ascendant sur moi.

« Ne me parle pas comme ça ! répliqua-t-elle.

— Comment veux-tu que je te parle, alors ?

— Poliment et calmement !

— Poliment et calmement devant ce cochon qui te pince la joue et toi qui le laisses faire ? Tu te rends compte de ce que tu me demandes là ? »

Elle détourna le visage et fit mine de contempler le mur d'en face, indifférente.

« Pourquoi tu n'as rien dit quand il t'a pincé la joue ? »

Elle garda le silence.

« N'est-ce pas la preuve que tu as mordu à l'hameçon de ce don juan ?

— Ne me parle pas comme ça ! fit-elle de nouveau.

— N'est-ce pas la preuve que tu as accepté d'être sa cinquième prise, après les trois Françaises et la Belge ?

— Ne me parle pas comme ça ! répéta-t-elle, décidément à court de réponse.

— C'est comme ça que l'on parle aux filles qui roulent leur copain dans la farine ! Qu'est-ce que tu attendais de moi : que je ferme les yeux, que je fasse le cocu battu et content ? Dis, qu'est-ce que tu attendais de moi ?

— La paix, me répondit-elle, imperturbable. La paix, tout simplement ! »

J'entrai brusquement dans une colère noire, terrible, qui me faisait vibrer de la tête aux pieds.

« Tu l'auras, ta paix ! pestai-je. Mais pas avant que je te dise tes quatre vérités ! Ouvre donc bien tes oreilles et écoute-moi : tu n'es finalement qu'une sainte nitouche, doublée d'une belle salope ! Rien ne te distingue de ces pétasses qui courent le vieil Européen dans les souks de la Médina ! Tu…

— Mais calmez-vous, mes enfants ! intervint lalla Z'hour. Calmez-vous ! Ne vous laissez pas emporter par la colère ! La colère est mauvaise conseillère… ! »

Les appels de lalla Z'hour n'eurent pas plus d'écho que ceux de saint Jean-Baptiste dans le désert : je continuai de charger Houda, égrenant à gorge déployée tout mon répertoire d'injures ordurières et obscènes, sans le moindre égard pour lalla Z'hour ; on eût dit un dégueulis d'ivrogne ou la débâcle d'un égout de Médina. La bonne femme, les paumes sur les oreilles, courut en catastrophe se réfugier dans une pièce attenante à la cuisine. D'un coup de reins, Houda repoussa son siège et s'apprêta à quitter la cuisine. Je la rattrapai brutalement par le pan de sa chemise :

« Pas avant que je t'aie dit tes quatre vérités, putain de grand souk ! »

En même temps, je lui flanquai une paire de gifles à étourdir un buffle. Houda poussa un hurlement de terreur. Jean-Christophe accourut et s'interposa :

« Tu quittes immédiatement ces lieux ! m'enjoignit-t-il, l'index pointé vers la sortie, l'air subitement dégrisé. Tout de suite, sinon j'appelle les flics. »

Je m'en allai, content d'avoir giflé Houda, content de lui avoir balancé sur la figure tout ce que j'avais sur le cœur – et de l'avoir fait aussi violemment que vulgairement.

C'était le début de l'après-midi, l'heure du déjeuner à la Médina, suivi bientôt d'une sieste qui, en ces jours de canicule, se prolonge jusqu'au-delà de seize heures. Je m'attablai sur la terrasse du café de la Place. Hamid, le garçon, se présenta avec son petit plateau à la main :

« Un thé aux plantes comme d'habitude, lui dis-je.

— Deux thés aux plantes ! » rectifia Younès en prenant place sur le siège d'en face.

Trahi, trompé, humilié, je sombrai dans le désespoir et le chagrin. Je déprimais le jour, je déprimais la nuit. Je me voyais comme l'homme le plus malheureux sur la terre. Ma vie était un lourd fardeau, une torture permanente – un calvaire pour tout dire. Une phrase revenait sans cesse dans ma bouche, tel un triste refrain : « Je n'en peux plus ! Je n'en peux plus ! »

Mes souffrances étaient tellement atroces, tellement insoutenables qu'un jour je pris la décision de me supprimer, mettre un terme à mes jours et, par là même, à mon calvaire. N'était Younès, je serais sûrement passé à l'acte : mon ami se trouvait là au bon moment, et il réussit à me dissuader de commettre le pire. Il a même réussi à en faire plus que me dissuader…

« Dis-moi, Saïd ? me demanda-t-il avec son assurance habituelle.

— Oui.

— Est-ce que tu as réfléchi une seconde à ton acte ? »

Comme je ne répondais rien. Il enchaîna :

« Tu veux te suicider à cause de Houda, une poufiasse qui a vendu son âme au diable ! Si tu le fais, ce sera à coup sûr l'acte le plus ridicule, le plus stupide de ta vie.

— Mais je n'en peux plus, Younès ! murmurai-je, soudain conscient de ma stupidité, et déjà un peu déconfit et honteux. Je n'en peux plus.

— Il ne tient qu'à toi que tes souffrances s'arrêtent !

— Comment ?

— En tournant la page ! En passant à la suite, comme je l'ai fait, moi, quand cette salope de Latifa m'a quitté pour aller offrir son cul en pâture aux pingouins des Émirats arabes ! Écoute-moi bien, Saïd : oublie cette pétasse ! Ne pense plus à elle ! Elle ne le mérite pas, de toute façon.

— C'est facile à dire ! susurrai-je.

— C'est aussi facile à faire ! répliqua Younès. Il suffit de le vouloir. Et la façon la plus efficace et la plus rapide est de te trouver une autre fille ! La Médina en pullule, et même de très jolies, et prêtes à l'aventure, avec ça ! Ne sois pas coincé, Saïd : lance ton hameçon dans n'importe quelle ruelle, je suis sûr qu'il ne te reviendra pas bredouille… L'idéal, bien sûr, serait que tu te trouves une fille de Jésus ! Avec une fille de Jésus, tu seras sûr d'écouler le restant de tes jours dans l'amour et la confiance indéfectibles. Rien ni personne ne parviendront à la détourner de toi, pas même un prince charmant, pas même le diable en personne… !

Une fois de plus, Younès m'a sauvé. Son analyse de la situation m'a aidé à me raisonner, et ses paroles m'ont redonné goût à la vie. Je ne pensais pas encore à me trouver une nouvelle petite amie pour y noyer le chagrin de la première ; je n'en avais de toute façon pas l'envie, ni le courage non plus. Je me disais que ça viendrait plus tard, quand je me serais tout à fait remis de mon traumatisme, quand j'aurais retrouvé toute ma santé, c'est-à-dire dans une année ou deux tout au plus… Mais le hasard, comme pour précipiter mon rétablissement, allait bientôt mettre sur mon chemin une heureuse rencontre, qui me permettrait de connaître à nouveau le bonheur dans toute sa plénitude.

Houda m'avait quitté à la fin de mars 2006. Deux mois plus tard, je fis la connaissance de Naima, une employée de banque. Notre rencontre eut lieu un jour de pluie, à l'autre bout de la cité. Mon père m'avait chargé de remettre une paire de babouches à un policier habitant le quartier Elmassira, situé dans la banlieue ouest de Marrakech. Quelques jours plus tôt, l'agent l'avait aidé à renouveler sa carte d'identité en lui évitant de passer par les interminables queues devant les guichets du commissariat. Mon père lui payait ainsi ce petit service par une paire de babouches volée à son patron, l'Hadj L'mestari. C'était toujours ainsi que mon père remerciait ses bienfaiteurs : par des babouches subtilisées à son patron.

Je venais de quitter l'autobus L8 qui desservait la zone et me dirigeai vers le quartier Ennahda où se trouvait la maison du policier. Une bruine tombait sur la ville en d'imperceptibles gouttelettes. La chaussée était glissante, fendillée de crevasses et de nids-de-poule. À un tournant, une mobylette me dépassa. Je levai incidemment les yeux : le chauffeur en était une jeune femme en djellaba de mousseline, la capuche rabattue sur la tête pour se protéger de la pluie. Je poursuivis mon chemin sans lui prêter attention. Quelques secondes plus tard, un cri aigu me parvint de l'autre côté du tournant, suivi aussitôt du bruit d'une chute. J'accourus : c'était la jeune femme sur la mobylette qui venait de débouler de son engin, étalée de tout son long sur la chaussée mouillée. Je l'aidai à se relever. À peine relevée, elle s'affaissa derechef sur la chaussée, la face tordue par une grimace de douleur. Je me penchai, passai les bras par-dessous ses aisselles, la soulevai et la traînai jusque sur le pas d'une échoppe fermée. Elle avait très mal au pied gauche. Je l'examinai un peu, tâtant des doigts. C'était peut-être une foulure à la cheville. Peut-être même une fracture. Elle avait aussi une blessure au genou. Une autre, moins grave, au poignet. Des égratignures un peu partout. Où habitait-elle ? Un immeuble pas loin de là. À cinq ou six minutes de marche…

« Vous devez prévenir votre famille ! » lui dis-je.

Un air d'embarras passa dans les yeux de la jeune femme. Elle… Elle… Elle n'avait que sa mère, femme âgée et fatiguée… Très fatiguée… Il valait mieux ne pas la prévenir ! Voulait-elle que je lui cherche un taxi ? Non, merci... Elle essaierait de marcher jusqu'à la maison. Elle y arriverait... Elle se releva tant bien que mal, fit un petit pas, puis un autre, puis un autre encore. Dieu merci ! Elle n'avait rien de grave puisqu'elle arrivait à se tenir debout... ! Ce n'était sûrement pas une fracture ! Si c'en était une, elle ne se tiendrait pas debout ! Non, elle ne se tiendrait pas debout. Peut-être était-ce une simple foulure, ou une entorse, ou quelque chose comme ça... Je redressai la mobylette et la traînai. La jeune femme avançait à côté de moi, boitant de la jambe gauche. Tous les vingt ou trente mètres, elle s'arrêtait. « Pour reprendre haleine ! » me disait-elle. Je l'accompagnai ainsi jusque devant chez elle, un petit immeuble genre Économique. Son appartement se trouvait au premier étage. Je garai la moto dans le hall du bâtiment. Mis l'antivol. Elle monta la première marche de l'escalier à grand-peine, une main accrochée à la rampe en béton armé, l'autre tenant le pan avant de sa djellaba. À la deuxième marche, sa jambe gauche flageola, son corps perdit l'équilibre, tangua... J'intervins à la hâte, la redressai en la soutenant à la fois par l'épaule et par la taille, un peu comme on fait pour un footballeur blessé qu'on aide à quitter le terrain. Ce faisant, je ne pus m'empêcher de me faire la vicieuse remarque que la jeune femme était charnue : un festin sous la djellaba, sûrement! Dès ce premier contact avec son corps plantureux, je frissonnai tout entier de désir; quelque chose remua sous mon pantalon, puis se redressa, raide et haletant. L'espace d'une seconde, une terrible image érotique passa dans mon esprit. Je secouai la tête, essayai de penser à quelque chose de tragique: la répression au Tibet, le massacre des Tutsi par les Hutu, le naufrage du *Titanic*, la famine en Afrique... Rien n'y faisait: mon membre demeurait raide et ferme comme un piquet.

Arrivés au seuil de son appartement, la jeune femme me pria d'entrer. Je déclinai poliment l'invitation. Elle la réitéra:

« Juste le temps de prendre un verre de thé, me dit-elle. Ou une tasse de café. Le temps aussi que l'averse s'arrête... »

C'était un trois-pièces meublé à l'occidentale: fauteuils, tapis, table en verre transparent, bibelots, poteries dans un heureux assortiment de couleurs. Des aquarelles et de petits tapis artisanaux ornés de motifs champêtres pendaient aux murs. Je vis aussi deux ou trois calligraphies sur bois, un lustre en fer forgé et un grand poignard en argent ouvragé. Je pris place dans l'un des fauteuils. La jeune femme s'assit en face de moi, le buste de guingois, la jambe gauche tendue. Elle s'appelait Naima. Naima Idrissi. Elle travaillait dans une banque à la Médina. Et moi?

Je me présentai. Saïd Leghchim, diplômé-chômeur. N'ayant plus rien à ajouter, je lui dis qu'elle avait un bel appartement, meublé avec beaucoup de goût. Elle sourit, me remercia du compliment. Vivait-elle seule ou… ? Non, elle partageait l'appartement avec sa mère, une femme âgée et fatiguée. Elle jeta un coup d'œil sur son bracelet-montre. Sa mère devait être en ce moment à la mosquée du quartier pour la prière d'alâsser. Comme toutes les femmes de son âge, elle aimait s'acquitter de sa prière à la mosquée. Elle serait de retour dans un quart d'heure, vingt minutes tout au plus. Un silence s'installa, qui se prolongea. Naima se releva pour, dit-elle, me servir quelque chose à boire. Je la priai de ne pas bouger de son fauteuil. Elle insista. Je me redressai, prêt à m'en aller. Naima me remercia à nouveau, promit de m'inviter dès qu'elle se remettrait de ses blessures. Nous échangeâmes nos numéros de cellulaire. Je lui souhaitai un prompt rétablissement et partis en refermant la porte derrière moi.

À l'entrée de l'immeuble, je croisai un petit bout de femme qui tremblotait du chef. Au premier regard, je lui trouvai un air de famille avec Naima. C'était sans doute sa mère.

Quelques jours plus tard, Naima me téléphona. Je pris des nouvelles de sa cheville. Elle ne s'était pas encore tout à fait remise de sa foulure mais, Dieu merci, maintenant elle marchait avec beaucoup moins de difficultés qu'avant. Étais-je libre l'après-midi? Posait-on une question pareille à un chômeur? Elle rit franchement. Dans ce cas, elle aimerait bien me revoir. Avais-je une préférence pour un endroit précis? Tous les endroits du monde me convenaient, pourvu que je l'y trouvasse! Elle rit de nouveau, plus longuement. Elle me proposa la terrasse du café du Négociant. Savais-je où c'était, Le Négociant? Oui, je savais.

Nous nous rencontrâmes au lieu en question. Naima avait troqué la djellaba en mousseline contre une chemise rose à manches longues et un jean délavé; ses cheveux lui retombaient sur les épaules en une crinière de soie châtain, une mise qui la rendait plus belle et plus jeune. Je lui en fis la remarque. Elle sourit, émue. Je lui demandai si elle s'était remise de sa foulure. De la main, elle imita le vol d'un papillon. Pas tout à fait: elle claudiquait encore un peu du pied... La cheville continuait de lui faire mal... Le poignet aussi... Normal: elle avait fait une violente chute... Une autre ne s'en serait sans doute pas tirée à si bon compte! Elle leva les yeux au ciel et remercia Dieu.

Sur la terrasse du Négociant, il y avait beaucoup de tourtereaux – des jeunes surtout. Il y avait aussi cinq ou six couples un peu particuliers: de vieux Européens bedonnants et chauves avec des filles ou des garçons du pays. À Marrakech, cela ne choque plus vraiment personne ; de plus en plus de gens pensent que c'est un moyen comme un autre de sortir de la pauvreté, et d'en faire sortir les siens.

Nous avons passé une agréable après-midi sur la terrasse du Négociant. Nous avons beaucoup parlé de nous-mêmes : de notre passé, de nos familles, de nos parcours respectifs... Naima était une femme d'un naturel franc et sans manières. Je me souviens qu'elle m'a fait le récit de sa vie avec une sincérité rarissime, voire inexistante chez mes concitoyens d'aujourd'hui. Elle s'était mariée avec un ancien camarade d'ESG, l'École supérieure de gestion. Un mariage d'amour, s'il en était. En deux années de vie commune, leur amour s'était néanmoins émoussé, sans raison apparente, comme victime d'un mauvais sort ou de l'intervention d'un djinn malfaisant. Bientôt, ce fut l'ennui, puis le désintérêt, puis carrément le désamour. Ils se mirent alors à s'engueuler pour un oui ou pour un non, à s'accuser mutuellement d'entêtement, d'égoïsme, d'avarice, de prétention, de gourmandise, de mauvaise haleine... Leur mariage au bord de l'explosion, deux couples amis intervinrent. Ils réussirent à les réconcilier, et même à leur faire solennellement promettre de faire un enfant, car il n'y a rien de mieux pour un couple en crise que la venue au monde d'un petit ou d'une petite... Cela sauve l'amour de l'usure et développe de nouveaux liens affectifs entre les époux... Ils se laissèrent convaincre par l'idée, jurèrent même de tenir leur promesse. Seulement voilà : une année plus tard, elle n'y était pas arrivée. Ou peut-être était-ce lui qui n'y était pas arrivé ? Elle ne savait pas exactement qui des deux ne pouvait y arriver. Ils se rejetaient la responsabilité, refusaient de consulter un médecin : lui parce qu'il était fermement convaincu qu'un homme n'ayant aucune difficulté d'érection ne pouvait être stérile ; elle, parce qu'il n'y avait pas d'antécédent de stérilité dans sa famille, ni du côté paternel, ni du côté maternel. Enfin, un matin, sa valise faite, son mari lui avait annoncé qu'il partait refaire sa vie avec une femme capable de lui assurer une descendance. Elle lui avait souhaité bonne chance. Il était parti. Ils ne s'étaient plus jamais revus ni téléphoné.

Naima était belle sans être vraiment jolie. Elle avait de grands yeux noirs, un peu ensommeillés, le front haut, les traits réguliers, le corps bien en chair mais sans excès nulle part, le galbe parfait, la trentaine consommée.

Depuis son divorce, Naima vivait avec Lhadja Kbira, sa mère, une vieille femme courant sur ses quatre-vingts ans. Lhadja Kbira partageait son temps entre la prière et la télévision. À chaque appel du muezzin, elle s'en allait, cahin-caha, à la petite mosquée du quartier. Elle poussait parfois jusqu'à la grande mosquée, située à quatre encablures de là. Son devoir envers Allah accompli, elle rentrait à la maison et se réinstallait devant la télé. Du matin au soir, elle regardait Al Anouar, la chaîne de propagande islamiste diffusée depuis Ryad, vingt-quatre heures sur vingt-quatre.

Avec Naima, les choses allèrent vite ; c'est l'avantage avec les femmes divorcées : on va droit au but, sans trop de préliminaires ni perte de salive. Au deuxième rendez-vous sur la terrasse du café Le Négociant, je m'enhardis et lui pris la main. Elle opposa une légère résistance, juste pour la forme. Je gardai sa main dans la mienne, la caressai tendrement, amoureusement. Elle sourit. Je lui dis qu'elle était jolie et que j'avais envie d'elle. Elle sourit de nouveau, les yeux baissés, l'air confus. J'ajoutai, frémissant de désir :

« J'ai un ami intime à la Médina qui a tout un étage pour lui seul… Si je lui demande de me prêter sa chambre, il le fera volontiers.

— Je préfère que tu viennes chez moi, réponditelle après réflexion. Je me sentirai plus en sécurité.

— Et ta mère… ? observai-je.

— Ma mère est une femme âgée et fatiguée, très fatiguée… »

Le soir même, je me retrouvai dans ce qui était naguère encore le lit conjugal de Naima, un superbe meuble en bois de thuya vernissé, muni d'un matelas à ressorts doux et confortable. J'y passai une nuit d'amour inoubliable, suivie bientôt d'autres nuits toutes aussi inoubliables. Pour confondre les voyeurs et autres importuns parmi ses voisins, nous agissions dans une totale discrétion, et toujours selon un plan prudemment préparé à l'avance. J'arrivais devant l'immeuble entre vingt-trois heures et minuit. À cette heure-là, lalla Kbira était déjà au lit. J'envoyais le texto suivant à Naima, toujours le même : « Suis en bas », et attendais. Dès qu'elle me répondait « Monte ! », je pénétrais dans l'immeuble, gravissais en un battement de cils les marches de l'escalier et me coulais à l'intérieur de l'appartement à pas feutrés, comme un cambrioleur. Aussitôt la porte refermée, nous nous jetions dans les bras l'un de l'autre pour toute une nuit d'amour et d'infinies délices.

Naima était toujours (ou plutôt toutes les nuits !) d'une générosité rare chez les femmes : elle se prêtait de bon cœur à tous mes caprices, à toutes mes folies. Dans ses bras, je ne pensais pratiquement plus à Houda. Comment penserais-je à elle, alors que le Ciel a gratifié Naima d'un corps de houri, harmonieux et plein de grâce, une merveille de la Création, un festin de plaisirs ? J'en étais si épris que j'avais en permanence la sensation de rester sur ma faim ; dès que je la quittais, son corps hantait mon esprit ; j'y pensais le jour, en rêvais la nuit. Une obsession.

Aujourd'hui encore, je continue de rêver au corps de Naima, j'en rêve si souvent que j'en oublie pour de longues heures mon triste sort de prisonnier.

Quand je ne rêve pas du corps de Naima, je médite longuement sur certaines de ses réflexions. Parce qu'elle en avait, des réflexions, Naima, et pas communes du tout ! Une fois, par exemple, je lui ai demandé ce qu'elle pensait des jeunes d'aujourd'hui.

« Des esprits matérialistes et conservateurs, me répondit-elle. Leur seul but dans la vie : s'incruster dans la société et s'y faire une place. Pour atteindre ce but, tous les moyens sont bons, y compris les plus dégueulasses ! »

J'étais étonné qu'une employée de banque ait un sens de l'observation aussi poussé. Sur le fond même de sa pensée, je n'ai rien trouvé à redire, à part peut-être le fait qu'elle ne devrait pas généraliser : les jeunes ne se ressemblent pas tous, ils ne portent pas tous le même regard sur la vie… Enfin, toute une argumentation foireuse à travers laquelle je cherchais à me tirer du lot, à me présenter comme une heureuse exception.

Une autre fois, j'ai demandé à Houda si elle pensait se remarier. Elle fit une grimace de dégoût. Se remarier ? Qu'à Dieu ne plaise ! L'expérience avec son ex-mari l'avait à tout jamais rebutée de la vie en couple ! Et Naima de me raconter par le menu comment son idylle avec ce dernier avait tourné au fiasco. Elle avait connu M'jid (c'était le prénom de son mari) à l'ESG, où ils suivaient tous deux une formation de deux années en gestion informatique. Dès leur première rencontre, ils s'étaient aimés passionnément : un coup de foudre mutuel ! Depuis, ils étaient devenus inséparables. À l'ESG, on les surnommait d'ailleurs ainsi, « les Inséparables » ! N'ayant pas de toit où rassasier leur soif l'un de l'autre, ils se contentaient, à l'instar de tous les jeunes dans leur situation, de caresses et de baisers à la sauvette. Aussi, à peine avaient-ils décroché un emploi qu'ils s'étaient mariés. La fin de leur idylle datait exactement de ce mariage. Leur amour, naguère cité en exemple à l'ESG et partout ailleurs, tomba en poussière... Non, pour sûr, elle ne se remarierait plus. Plus jamais ! D'ailleurs, quel était l'essentiel dans toute vie ? Je réfléchis un moment, finis par étirer les lèvres en signe d'ignorance.

« L'amour ! » me répondit Naima. Oui, l'amour qui engendre le bonheur. Or le mariage tue l'amour – et donc le bonheur, par voie de conséquence ! Conclusion : il faut bannir le mariage.

Qu'un Européen comme Jean-Christophe ait de telles réflexions ne m'étonne pas, ou peu ; mais que ce soit une Marocaine qui pense ainsi me laissa vraiment pantois.

Cette année-là, Younès s'apprêtait à accueillir Sophie, sa fiancée de Suisse. Sophie arriverait à l'aéroport de Marrakech-Menara le 2 août. Le mariage aurait lieu deux semaines après, « à la marocaine », comme ils en avaient convenu. Les frais de la fête s'élèveraient à quelques quarante mille dirhams. Sophie paierait seule la note. Younès et les siens se chargeraient de l'organisation de la fête. Je lui promis de l'aider aux préparatifs. Il me remercia. C'était la moindre des choses.

Juillet arriva, avec son soleil de plomb et sa canicule. Le ciel de Marrakech s'embrasa ; la terre se transforma en une gigantesque plaque chauffante, et les rafales de chergui balayaient les rues de leur souffle d'enfer. Les Marrakchis aisés fuyaient vers les villes côtières, au climat plus clément : El-Jadida, Essaouira, Agadir, Safi… Les moins aisés s'en allaient en vacances dans les vallées du Haut Atlas, à Ourika notamment. Les autres se contentaient d'une journée à la montagne lors d'une randonnée pédestre sur les hauteurs boisées et d'une trempette dans quelque oued ou séguia de la région.

Younès me proposa une journée à Imlil, station de villégiature sise au cœur du Haut-Atlas, réputée pour sa fraîcheur, sa rivière et ses chutes d'eau. La virée nous changerait les idées, et l'air de la montagne nous ferait du bien. Nous visiterions en premier lieu la vallée avec ses noyers plusieurs fois séculaires, ses jardins en terrasses, ses hameaux suspendus aux flancs des montagnes, ses moulins à eau… Nous piquerions ensuite une tête dans l'eau fraîche et cristalline de la rivière. Après, nous irions faire une balade dans la forêt environnante ; là il tenait absolument à me faire découvrir le plus beau paysage qu'il ait jamais vu de sa vie, un petit coin de paradis ! Au coucher du soleil, nous reprendrions la route de Marrakech. Étais-je partant ? Et comment !

Le lendemain matin, nous prîmes l'autocar en direction d'Asni, un vieux Berliet sommairement retapé. Je me souviens d'Asni ; monsieur Sebti, notre professeur de géomorphologie en troisième année de faculté, nous y avait amenés, mes camarades de classe et moi, à deux ou trois reprises. À en croire monsieur Sebti, Asni est l'un des sites géologiques les plus riches d'Afrique. Ce qui, du reste, ne l'empêche pas d'être l'une des régions les plus pauvres du Maroc.

Après Asni, nous prîmes la route d'Imlil, debout sur la plate-forme d'une camionnette vétuste, une Mazda 110, la carrosserie toute bringbalante, le moteur asthmatique, les soupapes usées : sept dirhams cinquante le ticket.

Une demi-heure plus tard, nous avions déjà les pieds dans la rivière d'Imlil. L'eau était limpide, fraîche, revigorante, idéale pour la baignade. Sans plus tarder, Younès piqua une tête dans un étang aménagé sans doute là par des baigneurs férus de profondeur. Je lui emboîtai le pas. L'endroit était déjà plein de monde ; certains barbotaient çà et là dans la rivière ; d'autres prenaient le frais à l'ombre des noyers qui la bordaient. Un peu en amont, une bande d'adolescents citadins, la casquette à l'envers, le tee-shirt barré d'inscritions en anglais et le jean taille basse, dansaient le hip-hop autour d'un grand magnétophone noir, le volume à fond. De petits campagnards les regardaient avec de grands yeux étonnés. De temps en temps, ils pouffaient de rire en se tapant dans les mains, avec l'air de se dire : « Qu'est-ce qu'ils sont fous, ces jeunes de la ville ! »

Notre déjeuner fut frugal : des sardines en conserve, du pain et une cannette de soda chacun. En guise de dessert, nous grillâmes deux joints.

Au début de l'après-midi, Younès, qui connaissait assez bien le pays, m'emmena faire une randonnée pédestre du côté de Tacheddirte, un hameau situé encore plus haut, accessible à travers une piste en lacet, caillouteuse et glissante par endroit. Le premier tronçon montant d'Imlil était particulièrement escarpé et rude. De temps en temps passait un camion tout déglingué, sa plate-forme bondée de campagnards. Ceux qui grimpaient vers Tacheddirte rugissaient de toutes leurs soupapes usées, laissant derrière eux un épais nuage de fumée nauséabonde ; ceux qui en descendaient faisaient siffler leurs plaquettes de freins à l'abord de chaque tournant. Tout croisement de véhicules était un véritable numéro de précision et de patience.

Au bout d'une demi-heure de marche, nous quittâmes la piste, enjambâmes un ruisseau et nous retrouvâmes ainsi à l'orée d'une pinède dense, calme, belle, d'une beauté originelle : on eût dit le monde d'avant l'avènement de l'homme. Je demandai à Younès comment il avait découvert un site aussi merveilleux. C'était grâce à Rachid, son cousin de Casablanca, qui l'y avait amené quelques années auparavant. Il y était revenu par la suite à deux reprises : une fois avec Sophie, une autre avec Jean-Christophe, le patron de Caravane Chems.

« C'est, ajouta-t-il avec ravissement, un coin de forêt primitive, le plus beau et le plus calme qu'il m'ait jamais été donné de voir ! »

Alors que nous admirions l'extraordinaire beauté du paysage, Younès repéra soudain un 4x4 blanc, garé dans une clairière cernée de hauts rochers. Son attention s'éveilla brusquement ; ses yeux s'accrochèrent au véhicule comme s'il redoutait de le perdre de vue. Un instant, il fila au pas de course dans sa direction. Je le suivis, sans idée préconçue. Il s'arrêta près du 4x4, l'examina un moment du regard, en fit le tour, jeta un coup d'œil à travers le verre des fenêtres…

« C'est la voiture de Jean-Christophe ! me dit-il, tout excité. Je l'ai emmené une fois ici ! »

De la paume, il toucha le capot :

« Le moteur est encore chaud, ajouta-t-il. Ça ne fait donc pas longtemps qu'il est là. »

Younès grimpa sur le faîte d'un rocher. Une main sur le front en guise de visière. Des yeux, il inspecta la pinède, coin par coin… Au moment où son regard se posa sur le vallon en contrebas, il se courba brusquement, comme pour esquiver une balle, et bondit à terre.

« Houda est avec lui, » me dit-il, les yeux scintillants d'une joie mauvaise.

La nouvelle eut sur moi l'effet d'un coup de massue sur le pariétal : tout mon être fut ébranlé, mes jambes fléchirent, ma vue se troubla… Pour éviter une chute impromptue, je tendis le bras et m'accrochai à la branche d'un cyprès.

« Saïd, me dit Younès, c'est l'occasion de régler leur compte à ces deux crapules. »

Sans attendre ma réponse, il entama la descente du talus boisé. Je le suivis machinalement. L'endroit baignait dans un silence de cimetière, à peine perturbé par le crissement sous nos pas des aiguilles de pin sèches.

Arrivés au pied du talus, nous aperçûmes Jean-Christophe et Houda assis côte à côte sur le tronc d'un vieil arbre, tendrement enlacés, les pieds dans un petit cours d'eau. Les battements de mon cœur ralentirent ; ma respiration s'interrompit : plus un filet de salive dans ma bouche ni dans ma gorge. Du doigt, Younès m'enjoignit de le suivre. Je m'exécutai tant bien que mal. Il se retira derrière un fourré d'épines vertes. Nous restâmes là, guettant en silence Jean-Christophe et Houda. Au bout de quelques minutes, je détournai les yeux et tentai de lutter contre une brusque envie de pleurer.

« Regarde ! » chuchota Younès en me donnant un léger coup de coude dans les côtes.

Je regardai : Jean-Christophe avait légèrement penché Houda sur le côté et pris ses lèvres dans les siennes, pour un long baiser. Younès claqua de la langue avec un air de dépit :

« T'as vu comme elle s'offre à lui, la pétasse ? »

J'étais pétrifié, la respiration coupée, les yeux rivés sur Houda et Jean-Christophe s'embrassant. Au bout d'un moment, une question survint dans mon esprit : Houda m'avait-elle vraiment aimé, un jour ? En voyant comment elle s'abandonnait au baiser de Jean-Christophe, je n'en étais plus sûr.

Leur soif de baisers étanchée, Jean-Christophe et Houda se relevèrent. Ils traversèrent le cours d'eau, serrés l'un contre l'autre, et pénétrèrent dans une espèce de grotte entourée d'énormes blocs de pierre, charriés sans doute là par les pluies torrentielles qui s'abattent de temps en temps sur la région. Younès retira de sa poche un couteau à cran d'arrêt.

« Tiens ! me dit-il en me tendant l'arme à la lame dépliée, luisant dans l'éclatante lumière du jour. Vas-y, venge ton honneur bafoué ! Ce ne sera pas difficile à faire, vu qu'ils sont sûrement en position horizontale en ce moment… Vas-y, je ferai le guet ! »

Je regardai Younès : il avait l'air déterminé.

« Tu as peur ? me dit-il avec une pointe railleuse dans la voix. Tu as peur, n'est-ce pas ? »

Comme je gardais le silence, il ajouta :

« Oui, c'est cela, tu as peur ! »

Excédé par ma lâcheté, il s'en fut en direction de la grotte, les doigts crispés sur le manche du couteau, l'allure ferme, l'air déterminé à accomplir son noir dessein. Je le suivis des yeux jusqu'à sa disparition derrière les blocs de pierre. Les secondes passèrent, puis les minutes : pas un cri, pas un bruit ne montèrent du valon. J'attendis encore un peu, deux ou trois minutes qui me semblèrent être des journées entières ; un silence de cimetière continuait de peser sur l'endroit. Mon inquiétude se mua en panique ; ma gorge se serra, mon corps vibrait, mes jambes ne tenaient plus en place… Je dévalai à la hâte le talus en direction de la grotte. Au tournant, je retrouvai Younès avec soulagement : il se tenait debout entre deux rochers, les bras ballants, les yeux fixés sur l'entrée de la grotte, immobile. Je m'approchai de lui : pas une fibre ne bougeait sur son visage, et son regard demeurait braqué vers la grotte. Ayant avancé de quelques pas, je me retrouvai brusquement devant une scène à couper le souffle : Jean-Christophe était adossé à un bloc de pierre, la gorge renversée, les paupières closes, le pantalon tire-bouchonné sur les chevilles ; en face de lui, agenouillée sur le sable mouillé, Houda suçait avec vigueur son dard dressé, le léchant d'un bout à l'autre avec de grands coups de langue, introduisant la verge dans sa bouche jusqu'à la racine, alternant léchage et sucements ! Jean-Christophe émettait de longs gémissements de plaisir…

Si quelqu'un m'avait rapporté cette scène, fût-ce Younès lui-même, je ne l'aurais pas cru une seconde : à mes yeux, Houda était depuis toujours une fille trop réservée, trop prude pour se livrer à des pratiques aussi dépravées ! À vrai dire, je ne l'imaginais même pas capable d'aimer un autre que moi… Ne me disait-elle pas toujours que j'étais le premier et le dernier homme de sa vie ?

Au terme d'un bon quart d'heure de suçage léchage, Jean-Christophe se redressa enfin, comme un somnambule ; il passa les bras par-dessous les aisselles de Houda et la releva. Je la vis de face : les cheveux dans les yeux, les mèches emmêlées et humides, des gouttelettes de sueur perlant sur ses joues, elle était ivre de plaisir, et belle, très belle – une déesse inca. Jean-Christophe la retourna sans ménagement, lui abaissa le jean, la cassa en deux et, d'un coup, planta son instrument dressé dans la raie de ses fesses ; Houda poussa un gémissement de douleur à peine perceptible, et s'étendit à plat ventre sur le sable mouillé. Jean-Christophe s'écroula sur elle de tout son poids. Ils se figèrent ainsi, sans souffle, sans vie, deux corps inertes. Younès se retourna enfin vers moi :

« Je n'ai jamais vu de scène pareille ! » me dit-il, abasourdi.

Il lâcha le couteau par terre et s'en fut, tête baissée, les bras ballants. Je le suivis. Nous remontâmes le talus boisé, vaincus et pleins d'une mélancolie silencieuse.

Arrivés près du fourré d'épines, Younès s'assit sur un rocher, les yeux fixant le sol, pensif. Je m'assis à quelques pas de lui. Le soleil déclinait vers l'horizon, rouge de plaisir, tandis qu'une brise légère chantonnait dans les sombres branches des cyprès. Devant nous, à une vingtaine de mètres, deux bécasses folâtraient et se poursuivaient. Je les regardai un moment, distraitement, l'esprit ailleurs. Enfin, je les oubliai. Younès ramassa un caillou. Je pensai qu'il allait le lancer aux deux échassiers. Non ; il se mit à gribouiller quelque chose sur le sol poussiéreux. L'incroyable scène me revint en mémoire ; les images défilaient dans ma tête : Houda et Jean-Christophe amoureusement enlacés, les pieds dans le ruisseau, leurs longues embrassades sous-marines, la fellation à l'entrée de la grotte... Au moment où il plantait sa verge dressée entre ses fesses, je me redressai brusquement et filai vers le 4x4. De ma poche, je retirai la clé de la maison, en introduisis la pointe dans la valve du pneu avant : il se dégonfla dans un long sifflement. Je passai au deuxième pneu, puis au troisième… Alors que je m'apprêtais à dégonfler le quatrième et dernier pneu, Younès me héla d'une voix étouffée. Je me retournai :

« Ils arrivent ! » me souffla-t-il.

Nous nous retirâmes vite derrière le fourré épineux. Jean-Christophe et Houda apparurent sur la ligne du talus. Ils étaient débraillés, épuisés, muets : on eût dit deux guerriers rentrant d'une bataille perdue. Arrivé près de la voiture, Jean-Christophe lâcha brusquement Houda et se mit à regarder les pneus avec de grands yeux horrifiés, les muscles du visage tendus.

« Que se passe-t-il, Jean-Chris ? lui demanda Houda, qui n'avait encore rien remarqué.

— Tu ne vois pas ? Trois pneus complètement à plat !

— Mon Dieu ! s'écria-t-elle en se donnant une tape sur la joue. Mais qui a pu faire ça ?

— Un fils de pute, sûrement ! » grogna Jean-Christophe.

Il releva la tête, fit des yeux le tour du paysage, une main sur le front en guise de visière. N'ayant repéré personne, il s'accroupit près du premier pneu dégonflé et se mit à l'examiner en faisant glisser sa paume sur la surface.

« Pour celui-ci, dit-il à Houda, le salaud s'est contenté de le dégonfler par la valve… Regarde, il y a encore les traces de ses pattes sur la jante ! »

Il recula et se mit à examiner le pneu arrière. Houda, penchée par-dessus son épaule, suivait attentivement ses gestes. Je ramassai un gourdin qui traînait à mes pieds et m'en fus à pas de loup vers le 4x4. Jean-Christophe continuait d'examiner le pneu, grommelant et postillonnant de rage. Je levai le gourdin et lui assenai un violent coup sur le crâne : il s'affaissa sur le sol, à demi inconscient ; Houda, terrifiée, poussa un cri déchirant, puis un autre, puis un autre encore… Je m'acharnais sur Jean-Christophe qui se tordait de douleur à mes pieds, le rouant de coups sur la tête, dans les côtes, sur les jambes, partout, aveuglément et de toutes mes forces. Houda continuait de s'égosiller, appelant au secours ; ses cris se répercutaient contre le flanc des montagnes et allaient se perdre au loin, dans l'immensité indifférente et muette qui nous entourait. Je continuai à rouer Jean-Christophe de coups de gourdin, sans répit ni pitié, jusqu'au moment où deux bras m'immobilisèrent par l'arrière.

« Assez ! Assez ! s'écria Younès. Tu vas l'expédier ! »

J'étais atteint d'une folie meurtrière : plus je frappais, plus j'en éprouvais le besoin. Younès m'arracha le gourdin de la main, non sans peine. Houda profita de la trêve pour mettre Jean-Christophe hors de ma portée : elle passa les bras par-dessous ses aisselles et le traîna tant bien que mal jusqu'à l'ombre d'un cyprès.

« C'est criminel, ce que tu as fait ! me cria-t-elle en pleurant. Allah te châtiera au centuple !

— Ta gueule, salope ! » tonnai-je en la chargeant. Elle bondit en arrière, prête à détaler ; je me ruai sur elle, l'empoignai violemment par les cheveux et l'attirai à moi avec la nette intention de lui arranger le portrait. Younès s'interposa de nouveau :

« Attends une minute, Saïd ! me dit-il. J'ai une idée plus intelligente. »

Il s'approcha lentement de Houda, les yeux scintillant d'une lumière mauvaise, l'air d'un fauve en rut. Houda, terrifiée, entama une reculade préventive. Younès l'empoigna brutalement par le pan avant de sa chemise.

« Ôte-moi ça ! » lui ordonna-t-il.

Houda se mit à crier au secours. Younès ramassa le gourdin et lui assena un coup sur le dos, pas trop fort quand même, juste pour la faire taire.

« Ta gueule, pétasse de riad ! fulmina-t-il. Encore un autre braiment comme celui-ci, et je te fracasse le crâne ! »

Houda se tut : elle était ravissante dans sa pâleur de femme effarée. Younès, implacable, lui arracha la chemise, le bustier puis le soutien-gorge : la poitrine de Houda s'offrit à l'air, pleine, harmonieuse, avec des seins comme de guillerettes oranges.

« Je t'en supplie, Younès ! l'implora-t-elle, la gorge étranglée de larmes. Ne me fais pas de mal ! N'oublie pas que tu étais l'un de mes meilleurs amis. »

— Baisse ton froc ou je m'en charge moi-même, » lui ordonna-t-il, impitoyable.

Houda fit un écart : Younès brandit le gourdin, prêt à la frapper de nouveau. Elle se résigna, commença à déboutonner le jean de ses deux mains tremblantes.

« Je t'en supplie, Younès ! reprit-elle. Ne me fais pas de mal ! Je t'en supplie ! N'oublie pas que tu étais mon meilleur ami ! (Elle se retourna vers moi, implorante.) Saïd, je t'en prie ! Au nom du grand amour qui nous a unis pendant des années… »

Je détournai les yeux, le visage de marbre.

« Le slip à présent, lui ordonna Younès, brandissant le gourdin.

— Mais vous êtes tous deux croyants ! repartit Houda, pleurant comme une madone. Vous croyez en Allah et Son messager, prière et salut sur Lui ! Allez-vous pour autant faire fi de Ses recommandations ? Allez-vous faire mal à une fille sans défense, naguère encore amie et aimée ? Si vous le faites, le Très-Haut ne vous pardonnera jamais ! Le Très-Haut ne vous… »

Younès fit semblant de lui donner un coup de gourdin dans les côtes. Elle poussa un cri.

« Le slip, je te dis ! rugit-il, les yeux incandescents, les lèvres retroussées, les incisives en avant. Et vite ! Nous n'avons pas de temps à perdre. Et vous non plus. »

Houda, terrifiée, s'exécuta :

« Non, poursuivit-elle, le Très-Haut ne vous pardonnera pas ! Le Très-Haut ne vous pardonnera jamais d'avoir abusé d'une fille sans défense !

— Tu crois, répliqua Younès, que le Très-Haut te pardonnera, toi, d'avoir trahi et humilié ton copain ?

— J'ai quitté Saïd parce que..., dit-elle, l'air incertain et perplexe de quelqu'un qui cherche ses mots. J'ai quitté Saïd parce que...

— Parce que tu as trouvé un Européen ? fit Younès, ironique. Dis-le sans détour !

— J'ai quitté Saïd... reprit Houda, feignant de ne pas entendre le propos de Younès. J'ai quitté Saïd parce que... parce que Jean-Christophe m'offre la sécurité financière qui a toujours fait défaut dans ma famille ! Tu le sais bien : Saïd est d'une famille aussi pauvre que la mienne. Lui et moi, nous n'en sortirons pas. Avec deux familles si démunies sur le dos, nous n'en sortirons pas ! Nous n'en sortirons jamais ! Alors... Alors j'ai réfléchi... J'ai longuement réfléchi, crois-moi, puis un jour, je me suis dit qu'il valait mieux qu'on se quitte.

— Si je comprends bien, lui dit Younès, Saïd était pour toi une espèce de pis-aller ? Tu l'as pris en attendant qu'un parti qui te convienne se présente ? »

Houda voulut se défendre ; Younès ne lui en laissa pas le temps :

« C'est exactement cela : le jour où tu as trouvé le parti que te convient, tu as jeté le pauvre Saïd comme on jette un Kleenex ! Ôte ta culotte, salope ! L'heure est venue de te faire payer tout ça !

— Je t'en supplie, Younès...

— Ne perds pas ta salive pour rien ! l'interrompit Younès, fermement déterminé à mettre ses menaces à exécution. Aujourd'hui, tu seras doublement baisée, et par tous les orifices ! Ne te fatigue donc pas pour rien. »

Soudain, je vis Jean-Christophe se redresser. Il était couvert de poussière, la tête ébouriffée, l'œil gauche tuméfié, le nez en marmelade, la lèvre inférieure écorchée. Il avança vers nous, titubant, les bras en avant pour délivrer Houda. Je pris mon élan et lui flanquai un violent coup de pied dans le bas-ventre : il s'effondra, roula par terre en se tordant de douleur.

« À présent, ordonna Younès à Houda, étends-toi sur le sol, les jambes écartées à fond, la chatte bien en évidence ! »

Houda obéit tout en poursuivant ses vaines supplications. Younès obliqua vers moi :

« Vas-y toi d'abord ! m'enjoignit-il. Vas-y, pisse-lui dedans une dernière fois. »

Les pieds cloués au sol, je ne bougeai pas de ma place.

« Tu ne veux pas ? » me demanda Younès.

Je fis non de la tête.

« Tu as raison, Saïd ! admit-il après un silence. Tu as tout à fait raison ! Et pour ne rien te cacher, moi non plus je n'ai pas envie d'introduire mon zob dans le bas-ventre d'une ordure pareille. »

Il se pencha, ramassa le jean et la chemise et les balança sur la figure de Houda.

« Rhabille-toi, pétasse de riad ! lui dit-il, en mettant tout son mépris dans ces trois derniers mots. Rhabille-toi et va-t-en chercher une ambulance pour ton vieux beau ! (Il se retourna vers Jean-Christophe qui geignait par terre.) Ou alors, un corbillard. »

Dans un ultime élan de rage, Younès balança le gourdin qu'il tenait encore à la main contre le pare-brise avant du 4 x 4 : le verre éclata en mille parcelles scintillantes.

« Allons-nous-en, Saïd, me dit-il. Il est temps de rentrer. »

Tahennaoute (Maroc),
mai 2010.

Dans la même collection

Idriss Al'Amraoui, *Le paradis des femmes et l'enfer des chevaux*
Maïssa Bey, *Nouvelles d'Algérie*
Maïssa Bey, *Puisque mon cœur est mort*
Maïssa Bey, *Cette fille-là*
Maïssa Bey, *Au commencement était la mer*
Maïssa Bey, *Pierre sang papier ou cendre*
Maïssa Bey, *Entendez-vous dans les montagnes…*
Maïssa Bey, *Surtout ne te retourne pas*
Maïssa Bey, *Sous le jasmin la nuit*
Bui Ngoc Tan, *Une vie de chien*
Bui Ngoc Tan, *La mer et le martin-pêcheur*
Isabelle Demeyere, *Ahouach - Quatre saisons chez les Berbères*
Dong Xi, *Accrocher les coins de la bouche au bord des oreilles*
Dong Xi, *Tu ne sais pas combien elle est belle*
Ilo de Franceschi, *Écrivez-moi Madeleine*
Alissa Ganieva, *Salam, Dalgat !*
Nìkos Kokàntzis, *Gioconda*
Anna Lavrinenko, *L'enfant perdu*
Alexeï Oline, *La machine de la mémoire*
Constantin Paoustovski, *La tanche d'or*
Igor Saveliev, *La ville blême*
Nguyên Huy Thiêp, *À nos vingt ans*
Samuel Zaoui, *Saint-Denis bout du monde*
Chabname Zariâb, *Le pianiste afghan*

Achevé d'imprimer en juillet 2013
sur les presses de l'imprimerie Pulsio
pour le compte des éditions de l'Aube
rue Amédée-Giniès, F-84240 La Tour d'Aigues

Numéro d'édition : 864
Dépôt légal : juillet 2013
N° d'impression :

Imprimé en Europe